THOMAS A. SCHNEIDER, f/STOP PICTURES

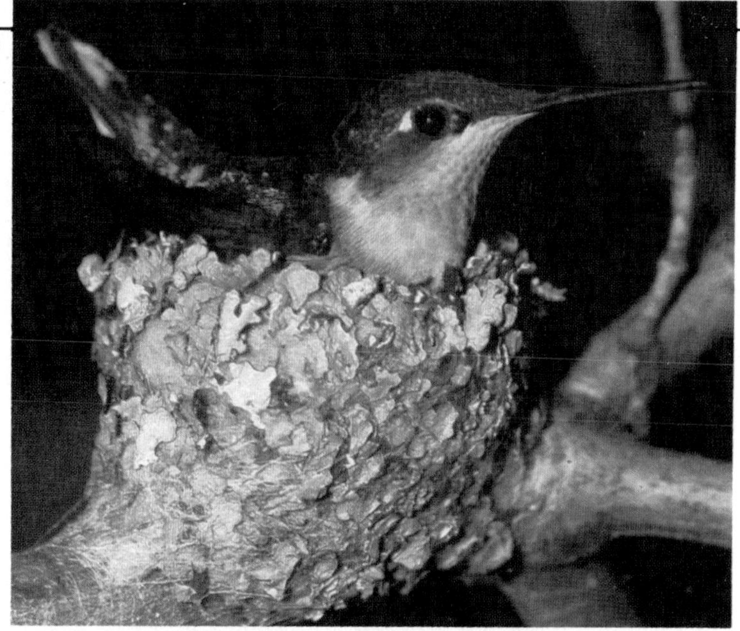

Au-dessus: Colibri à gorge rubis (femelle) en train de couver.

Au-dessous: Hirondelle des granges occupée à nourrir ses petits.

PHILIP ELLIN, POSITIVE IMAGES

D1158751

Pic à ventre roux en hiver.

THOMAS A. SCHNEIDER, f/STOP PICTURES

Le Pluvier kildir, qui niche directement sur le gravier.

PAUL E. MEYERS

PAUL E. MEYERS

Petits Carouges à épaulettes.

Famille de Tangaras écarlates.

HAL H. HARRISON, GRANT HEILMAN

PAUL E. MEYERS

Famille de Bernaches du Canada.

Différent styles de nidification.
À droite: Petit-duc maculé (en captivité), un oiseau cavernicole.

PAUL E. MEYERS

En dessous: Vacher à tête brune femelle, qui enlève un oeuf du nid d'une Paruline à flancs marron.

HAL H. HARRISON, GRANT HEILMAN

BARRY L. RUNK, GRANT HEILMAN

Canard colvert courtisant une femelle.

Quiscale bronzé (mâle) menaçant.

BARRY L. RUNK, GRANT HEILMAN

TOURNESOL RAYÉ

Bec-croisé à ailes blanches, Bec-croisé rouge, Bruant à couronne blanche, Bruant à gorge blanche, Bruant chanteur, Bruant familier, Bruant fauve, Bruant hudsonien, Cardinal à poitrine rose, Cardinal rouge, Carouge à épaulettes, Dur-bec des pins, Geai bleu, Gros-bec errant, Junco ardoisé, Mésange à tête brune, Mésange à tête noire, Moineau domestique, Moqueur roux, Pic chevelu, Pic mineur, Pigeon biset, Quiscale bronzé, Roselin familier, Roselin pourpré, Sittelle à poitrine blanche, Sittelle à poitrine rousse, Tohi à flancs roux, Tourterelle triste

TOURNESOL NOIR

Bec-croisé à ailes blanches, Bec-croisé rouge, Bruant à couronne blanche, Bruant à gorge blanche, Bruant chanteur, Bruant familier, Bruant fauve, Bruant hudsonien, Cardinal à poitrine rose, Cardinal rouge, Carouge à épaulettes, Chardonneret des pins, Chardonneret jaune, Dur-bec des pins, Geai bleu, Gros-bec errant, Junco ardoisé, Mésange à tête brune, Mésange à tête noire, Moineau domestique, Moqueur roux, Paruline à croupion jaune, Paruline des pins, Pic chevelu, Pic mineur, Pigeon biset, Quiscale bronzé, Roselin familier, Roselin pourpré, Sittelle à poitrine blanche, Sittelle à poitrine rousse, Sizerin flammé, Tohi à flancs roux, Tourterelle triste

MAÏS CONCASSÉ (JAUNE)

Alouette cornue, Bernache du Canada, Bruant à couronne blanche, Bruant à gorge blanche, Bruant chanteur, Bruant des champs, Bruant familier, Bruant hudsonien, Canard colvert, Cardinal à poitrine rose, Cardinal rouge, Carouge à épaulettes, Corneille d'Amérique, Étourneau sansonnet, Faisan de chasse, Geai bleu, Gélinotte huppée, Grand pic, Grimpereau brun, Mésange à tête brune, Mésange à tête noire, Moineau domestique, Moqueur roux, Perdrix grise, Pic à tête rouge, Pic chevelu, Pic mineur, Quiscale bronzé, Quiscale rouilleux, Roselin familier, Sittelle à poitrine blanche, Tohi à flancs roux, Tourterelle triste, Vacher à tête brune

BLÉ

Alouette cornue, Bruant à couronne blanche, Bruant à gorge blanche, Bruant chanteur, Bruant des champs, Bruant familier, Bruant fauve, Bruant hudsonien, Cardinal rouge, Carouge à épaulettes, Corneille d'Amérique, Étourneau sansonnet, Gélinotte huppée, Faisan de chasse, Geai bleu, Junco ardoisé, Quiscale bronzé, Quiscale rouilleux, Roselin pourpré, Sizerin flammé, Tourterelle triste

MÉLANGE POUR OISEAUX SAUVAGES

(Fait de: avoine, blé, gravier fin, maïs concassé, millet, orge, pois, sarrasin, tournesol en général, mais le mélange peut varier d'un grainetier à l'autre.)

Cardinal rouge, Étourneau sansonnet, Geai bleu, Gélinotte huppée, Junco ardoisé, Moineau domestique, Quiscale bronzé, Roselin familier, Sizerin flammé, Tourterelle triste, Vacher à tête brune

ORGE

Alouette cornue, Carouge à épaulettes, Étourneau sansonnet, Gélinotte huppée, Pigeon biset, Quiscale rouilleux, Tourterelle triste, Vacher à tête brune

CHARDON

Bruant à gorge blanche, Bruant chanteur, Bruant des champs, Bruant hudsonien, Chardonneret des pins, Chardonneret jaune, Junco ardoisé, Roselin familier, Roselin pourpré, Sizerin blanchâtre, Sizerin flammé, Tourterelle triste

ALPISTE OU «GRAINE DE CANARIS»

Bruant à couronne blanche, Bruant à gorge blanche, Bruant chanteur, Bruant des champs, Bruant familier, Bruant fauve, Bruant hudsonien, Cardinal rouge, Carouge à épaulettes, Chardonneret des pins, Chardonneret jaune, Junco ardoisé, Moineau domestique, Roselin familier, Roselin pourpré, Sizerin flammé, Sturnelle des prés, Tohi à flancs roux, Tourterelle triste, Vacher à tête brune

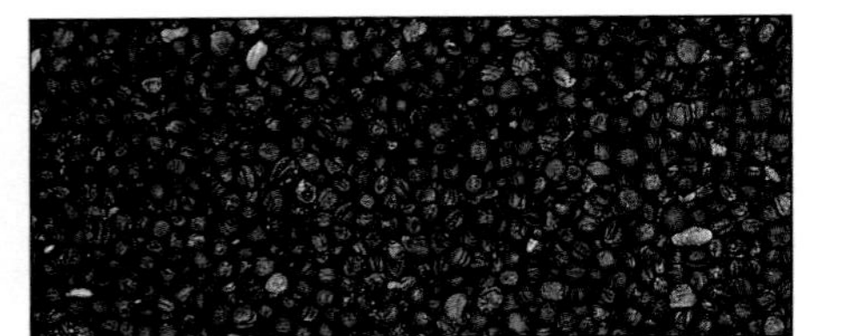

COLZA

Bruant à couronne blanche, Bruant à gorge blanche, Bruant chanteur, Bruant des champs, Bruant familier, Bruant fauve, Bruant hudsonien, Chardonneret des pins, Chardonneret jaune, Gélinotte huppée, Gros-bec errant, Junco ardoisé, Moineau domestique, Pigeon biset, Roselin familier, Roselin pourpré, Sizerin flammé, Tourterelle triste

AMANDE D'AVOINE* ET AVOINE RONDE

**L'amande d'avoine est l'avoine ronde écalée.*

Bruant à couronne blanche, Bruant à gorge blanche, Bruant chanteur, Bruant des champs, Bruant familier, Bruant fauve, Bruant hudsonien, Cardinal rouge, Carouge à épaulettes, Corneille d'Amérique, Étourneau sansonnet, Gélinotte huppée, Junco ardoisé, Moineau domestique, Quiscale rouilleux, Tohi à flancs roux, Tourterelle triste

MILLET BLANC, MILLET ROUGE (ET JAUNE)

(Aussi dans un mélange «de graines à bruants», fait de: alpiste, carvi, chardon, colza, lin, millet blanc, rouge et jaune, pavot.)

Alouette cornue, Bruant à couronne blanche, Bruant à gorge blanche, Bruant chanteur, Bruant des champs, Bruant fauve, Bruant hudsonien, Cardinal rouge, Carouge à épaulettes, Chardonneret des pins, Chardonneret jaune, Geai bleu, Gélinotte huppée, Junco ardoisé, Moineau domestique, Quiscale rouilleux, Roselin familier, Roselin pourpré, Sizerin flammé, Tohi à flancs roux, Tourterelle triste

HÉBERGER LES OISEAUX

COMMENT INVITER LES OISEAUX

À NICHER

DANS VOTRE JARDIN

Cet ouvrage a été originellement publié par
STOREY COMMUNICATIONS, INC.
Schoolhouse Road, Pownal
Vermont 05261, U.S.A.

sous le titre: HOSTING THE BIRDS

Publié avec la collaboration de
Montreal-Contacts / The Rights Agency
C.P. 596, Succ. «N»
Montréal (Québec)
H2X 3M6

© 1989, by Storey Communications, Inc.
© 1990, Les Éditions Quebecor, pour la traduction française

Dépôt légal, 2e trimestre 1990
Bibliothèque nationale du Québec
Bibliothèque nationale du Canada
ISBN 2-89089-713-3

LES ÉDITIONS QUEBECOR
une division de Groupe Quebecor inc.
4435, boul. des Grandes Prairies
Montréal (Québec)
H1R 3N4

Distribution: Québec Livres

Conception et réalisation graphique de la
page couverture: Bernard Lamy

Illustration des pages intérieures: Kimberlee Knauf
Photo de la couverture avant: Hal H. Harrison
Photo de la couverture arrière: Paul E. Meyers

Impression: Imprimerie l'Éclaireur

Tous droits réservés. Aucune partie de ce livre ne peut être reproduite ou transmise sous aucune forme ou par quelque moyen électronique ou mécanique que ce soit, par photocopie, enregistrement ou par quelque forme d'entreposage d'information ou système de recouvrement, sans la permission écrite de l'éditeur.

JAN MAHNKEN

HÉBERGER LES OISEAUX

COMMENT INVITER LES OISEAUX À NICHER DANS VOTRE JARDIN

TRADUIT DE L'AMÉRICAIN
PAR
MICHÈLE THIFFAULT

Les Éditions Quebecor

TABLE DES MATIÈRES

Pour Bud

PRÉFACE

PLUS DE 600 espèces d'oiseaux nichent en Amérique du Nord, au nord de la frontière mexicaine. Comme il est malheureusement impossible de toutes les inclure dans ce livre, j'ai dû faire un choix, et certaines de mes décisions quant aux oiseaux qui s'y trouvent sont arbitraires. J'ai d'abord essayé d'inclure tous les oiseaux de jardin communs ainsi que les visiteurs moins fréquents de l'environnement humain. J'ai aussi ajouté des oiseaux qui me semblaient d'un intérêt particulier, soit par leurs particularités fascinantes ou par leur signification historique ou écologique spéciale.

J'espère que vous serez satisfait de cette sélection. Cependant, malgré mes efforts pour être raisonnable et objective, vous serez peut-être déçu de constater que je ne mentionne pas certains de vos oiseaux préférés. Je m'en excuse à l'avance et je vous prie d'être indulgent envers ce qui peut parfois être une question de caprice.

PREMIÈRE PARTIE

LE CYCLE DE NIDIFICATION

1 INTRODUCTION

AU SON DE LEURS CRIS, je me précipite à l'extérieur pour scruter le ciel. Peu importe que la journée soit froide, que le vent me fasse frissonner avant même que je referme la porte derrière moi ou que la neige sale détrempe mes souliers. La première envolée de bernaches se dirigeant vers le nord annonce l'arrivée du printemps.

La migration saisonnière des oiseaux vers le nord est un signe visible du début de leur cycle annuel de nidification. Les changements hormonaux qui se produisent pendant l'hiver les poussent à voler vers leur habitat estival, où ils défenderont leur territoire, courtiseront leur partenaire et élèveront leurs rejetons. Une fois ces besoins biologiques pressants satisfaits, et le désir de reproduction assouvi par d'autres changements hormonaux, les survivants, petits et grands, se préparent à retourner dans leur habitat hivernal.

Les prochains chapitres traiteront des habitudes de nidification des oiseaux retrouvés dans les jardins ou aux alentours, du nord du Mexique au sud des régions subarctiques. Que vous habitiez à la ville, en banlieue ou à la campagne, vous pouvez inviter les oiseaux à établir leur résidence chez vous. La nourriture, l'eau et un endroit protégé pour le nid sont essentiels: une mangeoire, un bain d'oiseaux et un nichoir feront l'affaire. Les jardiniers peuvent offrir des plantes qui fournissent de la nourriture aussi bien qu'un abri. Certaines caractéristiques géographiques fortuites, comme un étang ou un ruisseau, ou votre propre installation d'une piscine ou d'une fontaine, augmenteront le nombre d'oiseaux attirés par votre jardin. Certains oiseaux acceptent les nichoirs que leur fournissent les gens, mais un plus grand nombre préfèrent les matériaux pour la construction du nid. Vous pouvez observer les oiseaux à tous les stades du cycle, pourvu que vous fassiez preuve de patience.

Tous ceux qui aiment nourrir les oiseaux n'ont besoin d'aucune raison pour le faire; c'est tout simplement intéressant. Cependant, si vous avez besoin d'un motif supplémentaire, essayez de voir cette activité comme le paiement d'une dette à certains habitants de la Terre. Après avoir tellement exploité cette planète, le moins que l'on puisse faire est de rendre la pareille. Une bonne façon est de connaître suffisamment les besoins des oiseaux en fait de nidification pour éviter de leur nuire et, peut-être, pour aider certaines espèces à survivre.

On estime que l'observation des oiseaux vient au deuxième rang dans les passe-temps, après le jardinage. Et tout comme ce dernier, vous pouvez vous y adonner à votre propre rythme. Vous pouvez être un observateur ou un Observateur, de la même façon que vous pouvez être un jardinier ou un Jardinier. Le dégré de votre participation peut varier selon votre intérêt et votre disponibilité. Il n'est pas nécessaire non plus d'investir beaucoup d'argent pour en faire un passe-temps agréable. Tout ce dont vous avez vraiment besoin, c'est de vous intéresser aux oiseaux.

L'intérêt pour les oiseaux est un phénomène mondial. Tous les étés, je reçois d'un ami qui vit dans une grande ville des coupures de journaux rapportant les progrès de Faucons pèlerins qui établissent leur nid, année après année, sur un toit du centre-ville. À l'autre bout du monde, la femelle d'un canard, qui niche depuis cinq ans dans un étang artificiel juste en face du Palais royal de Tokyo, attire encore plus d'attention. Chaque année, elle traverse, suivie de sa nichée, l'autoroute de six voies pour se rendre au fossé du Palais et y passer l'été. Lorsque la traversée fut imminente, la police de Tokyo installa des signes et l'événement arrêta littéralement la circulation, en plus d'être suivi par les journaux et la télévision.

Même si on peut voyager beaucoup pour observer les oiseaux, il n'est pas vraiment nécessaire de quitter son quartier. Votre région immédiate offre une abondance d'oiseaux pendant toutes les saisons, selon l'habitat nécessaire à chaque espèce. Recherchez les endroits de transition d'une sorte de plantes à une autre; ils attirent habituellement plus d'oiseaux de différentes espèces que les endroits avec une végétation uniforme. À la lisière du bois, par exemple, les parulines se mêlent aux mésanges qu'on peut voir généralement dans nos mangeoires et dans nos arbustes. Aux bords des marais, la discrète Bécasse d'Amérique et le Merle d'Amérique, qui se contente de nicher au-dessus de notre porte, se disputent les vers de terre.

L'observation des oiseaux

Jusqu'au XXe siècle, l'ornithologie sur le terrain consistait principalement à explorer et à classifier. La classification impliquait généralement la *collecte* réelle des nids, des oeufs et même des oiseaux. C'était un moyen efficace pour connaître les oiseaux, mais très peu avantageux pour les oiseaux eux-mêmes! La technique moderne d'identification des oiseaux, à l'aide d'indices tels que la grosseur, la forme, le vol et d'autres détails, est beaucoup plus sensée que la pratique de les abattre. Cependant, plusieurs observateurs acharnés ont recueilli les trois types de spécimens, souvent plusieurs séries de la même espèce. On a rapporté un individu qui avait 235 séries d'oeufs de Merle d'Amérique, sans aucun doute un exemple d'excès d'enthousiasme plutôt que de bon jugement.

Grâce au mouvement de conservation de la nature, qui commença à capter l'attention au début du siècle, la prise de conscience de la destruction grandissante de la faune a rendu la collecte inacceptable pour les observateurs. On s'est alors mis à répertorier les oiseaux, c'est-à-dire à enregistrer par écrit les espèces observées plutôt que de collecter les spécimens. Aujourd'hui, la loi interdit de prendre des nids, des oeufs ou même des plumes égarées d'oiseaux sans une autorisation.

La pratique de répertorier a finalement amené les ornithologues à rapporter leurs données au laboratoire d'ornithologie de l'Université Cornell, le centre d'information officiel. Les observations documentées et précises d'amateurs ont été traditionnellement d'une grande aide aux ornithologues et demeurent une source de grande valeur de nos jours.

Dans le passé, on décrivait les oiseaux comme étant *communs, assez communs, peu communs* ou *rares* dans un habitat spécifique. Ces termes étaient subjectifs, et leur signification dépendait de l'expérience de l'observateur qui donnait ou recevait l'information. La pratique courante du *répertoire* est plus appropriée parce qu'elle fournit des données concrètes qui risquent moins d'induire en erreur par des mauvaises définitions et des caprices d'interprétation. Pour faire ces dénombrements, des armées d'observateurs amateurs et professionnels se rassemblent à un moment donné ou à un endroit précis (un sentier aérien, un lieu de perchoir, une parcelle de ferme désignée ou près d'une mangeoire) et dénombrent réellement les oiseaux présents par espèce. À partir de ces dénombrements, on estime les populations.

Les termes utilisés réfèrent maintenant au nombre réel dénombré. Le terme *abondant* décrit les oiseaux dont le dénombrement quotidien va jusqu'à 50 et le dénombrement saisonnier, jusqu'à 250 ou plus. Les oiseaux *communs* sont observés quotidiennement en nombre de 6 à 50 et jusqu'à 250 en saison. Les oiseaux *peu communs* sont dénombrés quotidiennement en nombre de 1 à 5 et, en saison, de 5 à 25; les oiseaux *rares*, 5 pendant la saison. Le terme *inusité* signifie jusqu'à 3 oiseaux en 10 ans et *exceptionnel* jusqu'à 3 fois dans une vie. On peut identifier environ 800 espèces d'oiseaux en Amérique du Nord.

Comme tous les autres organismes vivants, les oiseaux sont classifiés en catégories de plus en plus petites. Ils appartiennent au royaume animal, branche des Vertébrés, classe des *Aves* ou des oiseaux. Il y a plus d'espèces d'oiseaux — plus de 8 500 espèces vivantes — que tout autre vertébré, à l'exception des poissons. Le Merle-bleu azuré est un exemple d'espèce; la seule classification inférieure est la sous-espèce. La catégorie plus large à laquelle le Merle-bleu azuré appartient est son genre, *Sialia.* Il fait partie de la famille des Muscicapidés et de l'ordre des Passereaux ou oiseaux percheurs.

Il existe au total 26 ordres d'oiseaux (certains ornithologues prétendent 29). Les ordres sont généralement distribués à travers le monde, mais les familles et les groupes de genres peuvent être limités à un continent ou à une région zoologique (une vaste région ayant des caractéristiques qui leur conviennent). Les genres et les espèces peuvent être présents uniquement dans certaines parties d'un continent. Étonnamment, 85 p. cent des espèces et des sous-espèces connues se retrouvent uniquement dans les régions tropicales et les deux tiers de *celles-ci* se retrouvent seulement dans les parties humides des tropiques. Ce fait étant dit, il n'est pas surprenant de voir que 32 des 44 familles d'oiseaux qui existent dans le Nouveau Monde seulement se retrouvent exclusivement dans les régions tropicales. Une douzaine de familles du Nouveau Monde peuvent être trouvées plus au nord. Ce sont des oiseaux migrateurs et la plupart passent l'hiver sous les tropiques. De plus, ils préfèrent la partie humide de l'est du continent.

Merle d'Amérique niché dans une jardinière.

Partager la planète

Le nombre d'oiseaux fluctue parce que leurs activités sont menacées. Les menaces de l'homme incluent la chasse sportive et l'abattage commercial d'oiseaux sauvages pour la viande et les plumes; l'introduction d'espèces d'oiseaux qui rivalisent avec les espèces indigènes; l'empoisonnement au plomb, aux pesticides et autres produits chimiques; et les déversements d'huile (par exemple, les pingouins plongent lorsqu'ils en voient un et refont surface au milieu).

Les changements environnementaux affectent aussi la distribution et la population d'oiseaux. La baisse du niveau d'eau a tendance à déplacer des oiseaux comme le Canard souchet, la Foulque d'Amérique, la Bécassine des marais et le Carouge à tête jaune. Les Maubèches des champs sont dérangées par le labourage de la terre; elles préfèrent les prairies. Bien que la création de lacs artificiels, surtout les grands, attire les oiseaux qui aiment l'eau, l'extraction à ciel ouvert peut déplacer les oiseaux, même s'il y a parfois un repeuplement partiel. La canalisation des ruisseaux et l'étendue d'asphalte déplacent les oiseaux, malgré les programmes de conservation du sol et de protection de la forêt qui aident à maintenir la population existante.

Les structures, tels les tours de télévision et les édifices, de même que les fenêtres, font de nombreuses victimes. Les activités récréatives, comme la nage, le bronzage et la promenade motorisée, dans les endroits de nidification et d'alimentation chassent les oiseaux. Le drainage des marécages et la pêche menacent la source de nourriture de quelques oiseaux. Certains disent que les changements de climat causés par l'humain modifient les modes de migration. D'autres problèmes reliés à la température, non attribuables aux humains, incluent le manque de fiabilité des sources de nourriture, l'effet de la température et des précipitations sur la reproduction, le dérangement du vol par les vents forts et la destruction des oiseaux par des tempêtes.

Même si plusieurs activités humaines nuisent aux oiseaux, il faut aussi mentionner que certaines espèces causent des problèmes aux humains, qui font également partie de l'écosystème. Les Cygnes tuberculés peuvent manger, piétiner ou endommager l'herbe des pâturages et les Bernaches du Canada empiètent sérieusement sur les récoltes de grain dans certains endroits. L'Étourneau sansonnet ravage les vergers. Plusieurs fermiers d'Angleterre considèrent le Pigeon ramier comme une sérieuse nuisance à l'agriculture et le Bouvreuil pivoine comme une nuisance à l'horticulture. Les linottes attaquent les fraises et autres fruits tendres; les mésanges endommagent les roses et les geais attaquent les fèves. En Amérique du Nord, les dépôts fécaux sous les perchoirs d'hiver de certains oiseaux tels que l'Étourneau sansonnet et le Carouge à épaulettes peuvent tuer les arbres. (Il peut y avoir jusqu'à 20 ou 30 *millions* de Carouges à épaulettes habitant un seul perchoir dans les États du sud.) Le Goéland argenté peut même endommager des avions, brisant les pare-brise et bloquant les lames de turbine. Bien sûr, les oiseaux rendent aussi des services inestimables, par exemple en mangeant les insectes et en distribuant les graines et le pollen, sans parler du plaisir esthétique qu'ils offrent.

Même si la plupart des oiseaux sont spécialisés, certains s'adaptent facilement et bénéficient des activités humaines comme nous bénéficions des leurs. Les Étourneaux sansonnets, les Moineaux domestiques et les pigeons, amenés en Amérique du Nord par l'humain, se sont si bien adaptés que plusieurs les considèrent maintenant comme des nuisances. Certaines espèces indigènes très intéressantes se sont aussi très bien adaptées. Le Faucon pèlerin niche dans les villes pour se nourrir des pigeons. Les Merles d'Amérique, les hirondelles, les Effraies des clochers, les corneilles et les Balbuzards ont tous profité de la présence des humains, qui leur ont fourni des structures et qui ont défriché des terres, rendant ainsi disponible un plus grand habitat pour ce type d'espèces. D'autres changements faits à l'aide de machines, comme les réservoirs et les carrières de sable, ont aidé les espèces habituées à ces caractéristiques dans la nature. Et, comme il a été mentionné auparavant, plusieurs espèces profitent des nids artificiels et des matériaux que leur fournissent les humains.

Y a-t-il un juste équilibre? C'est une question qu'il faut poser, même pour des raisons purement égoïstes. À part toutes les autres raisons pour s'intéresser aux oiseaux, il y a la vieille histoire du canari dans la mine. Tout comme les mineurs évaluaient leur sécurité par l'état de leur oiseau en cage, nous pouvons faire de même. L'auteur de *Kentucky Birds: A Finding Guide* disait avec justesse: «Dans la disparition de certaines espèces clés, nous entrevoyons notre propre péril.» Lorsque les oiseaux sont en danger, les humains le sont peut-être aussi.

2 LE TERRITOIRE

PARLER DE TERRITOIRE en faisant référence aux oiseaux peut porter à confusion à moins de définir certains termes dès le début. D'abord, l'*habitat* et l'*aire de répartition* doivent être distingués du *territoire*. L'*habitat* est le genre d'environnement dont a besoin une espèce en particulier. L'*aire de répartition* est la grande étendue géographique où une espèce peut être retrouvée. L'*aire de nidification* comprend tous les endroits où on retrouve les nids d'une espèce et sa répartition estivale. L'*aire d'hivernage* réfère aux endroits où les espèces se retrouvent en hiver.

Il y a deux genres de *territoire*. Le premier est la quantité de terre nécessaire à un couple d'oiseaux pour assurer une source alimentaire suffisante pour eux-mêmes et leurs rejetons. Cette quantité peut varier considérablement. Par exemple, la densité de Viréos aux yeux rouges peut varier de 10 mâles, dans un territoire de 40 hectares de terrain broussailleux, à 100 mâles, dans un territoire de 40 hectares de forêt d'arbres à feuilles caduques. Il doit y avoir suffisamment de nourriture pour les parents et les petits. Une famille

Hérons garde-boeufs.

de troglodytes peut survivre dans un seul jardin, mais un aigle a besoin de 1,5 kilomètre carré de terre et un Martin-pêcheur d'Amérique, de 1,5 kilomètre linéaire de surface d'eau. La grandeur du territoire dépend non seulement des sources alimentaires d'un endroit donné, mais aussi des responsabilités du nid. L'incubation des oeufs et les soins des petits demandent tellement de temps que les oiseaux doivent minimiser le territoire où ils vont chercher la nourriture.

Le deuxième genre de territoire est celui que le mâle défend contre les autres mâles de son espèce. Des études sur le Viréo aux yeux rouges ont démontré que ce territoire varie aussi, de 1 215 à 9 710 mètres carrés, selon l'abondance de nourriture dans le territoire. Plusieurs mâles défendent uniquement un petit territoire aux alentours du nid, utilisant alors un terrain d'alimentation commun. Les oiseaux de colonie (qui nichent en groupe), tels les hirondelles et les goélands, défendent uniquement le territoire qu'ils peuvent atteindre lorsqu'ils sont dans leur nid. L'Hirondelle noire défend seulement le nid lui-même.

La sélection du territoire assure la distribution adéquate d'une espèce. La connaissance d'un endroit donné permet à l'oiseau de se suffire à lui-même, de réserver l'endroit spécial dont il a besoin pour son nid, d'éviter les prédateurs et de trouver plus facilement la nourriture et les matériaux pour la construction de son nid. Cette efficacité est nécessaire pour que l'oiseau se concentre sur l'élevage des petits. De plus, l'usage d'un endroit restreint aide à établir un lien sexuel entre les parents.

De façon générale, le mâle choisit le territoire. Dans les cas où l'accouplement se fait avant la migration, le couple peut choisir le territoire. Parce que le mâle défend le territoire, n'y laissant pénétrer aucun autre mâle, le lien sexuel entre le mâle et la femelle est obligatoirement renforcé une fois que le couple est formé. Les autres oiseaux de leur espèce sont exclus... Loin des yeux loin du coeur.

Une fois le territoire choisi, les oiseaux le défendent contre les autres de leur espèce. Généralement, le mâle assume la responsabilité de la défense. Un des moyens courants de défendre le territoire est le chant. En se déplaçant d'un perchoir à un autre autour de son territoire, l'oiseau indique aux autres de son espèce que son bout de terrain leur est interdit.

Cas particuliers

Le comportement territorial varie considérablement d'une espèce à une autre; il importe donc de mentionner les particularités de chaque espèce.

La répartition des Hérons garde-boeufs a augmenté de façon spectaculaire depuis leur apparition dans le sud des États-Unis il y a une vingtaine d'années. Durant l'été, on le retrouve maintenant jusqu'à la région sud du Canada et aussi à l'ouest que l'Alberta. Ces oiseaux de colonie se retrouvent souvent en compagnie d'autres espèces de hérons, bien qu'ils soient moins aquatiques. Ils défendent un territoire de plusieurs mètres autour de leur nid jusqu'au début de l'incubation, où ils restreignent leur défense au nid seulement. Cependant, chaque oiseau défend aussi un territoire d'alimentation, souvent autour d'un animal domestique.

Un couple de Canards colverts s'approprie habituellement un territoire d'alimentation de 500 à 1 000 mètres carrés. Le mâle défend seulement une petite étendue d'eau et de roseaux, le nid non compris, pendant une période de 10 à 14 jours jusqu'à ce que l'incubation commence.

La Bernache du Canada défend un territoire de 1 000 à 4 050 mètres carrés jusqu'au moment de l'éclosion. Une Bernache du Canada qui défend sont territoire ne doit pas être prise à la légère. Comme menace modérée, elle incline la tête devant son adversaire et siffle. Lorsqu'il s'apprête à attaquer, le mâle crie *ahonk* (la version femelle est simplement *honk*) et il lève et baisse rapidement la tête.

La Crécerelle d'Amérique revendique un territoire de 102 hectares, qu'elle défend de mars à juin. À l'opposé, le Goéland argenté, qui vit en colonies, habite un territoire de seulement 25 à 45 mètres de diamètre, chassant ou combattant les intrus aux bordures. Les couples nouvellement formés en patrouillent les limites.

Le Pigeon biset défend un territoire encore plus petit, soit uniquement l'environ immédiat de son nid. Pendant le cycle de reproduction, le mâle se courbe devant ses adversaires et les attaque avec ses ailes déployées. Le mâle de la Colombe inca défend une région découverte, située près des arbres, de 27 sur 45 mètres à 64 sur 92 mètres, après avoir courtisé et avant la ponte des oeufs. En d'autres temps, les Colombes incas sont très sociables.

Le Martinet ramoneur ne défend aucun territoire, quel qu'il soit. Le Colibri roux, de son côté, est le plus agressif d'une famille très agressive. Les deux sexes défendent un territoire, une pratique courante chez tous les colibris. La femelle défend le nid et le mâle, le territoire d'alimentation.

Le Pic flamboyant évolue dans un territoire de 800 mètres carrés, mais défend seulement la région du nid en agitant la tête, en position figée, et en tambourinant sur une branche résonnante avec son bec. Le Pic chevelu défend une zone de 1 000 mètres carrés autour du nid en tambourinant, en chassant et en se perchant, mais il s'étend à une plus grande région. Assez étrangement, son cousin plus petit, le Pic mineur, défend un territoire d'environ 1,5 hectare.

Le Tyran tritri, ardent défenseur de ses 2 000 mètres carrés, attaque les corneilles, les buses ou les chouettes même à plus de 30 mètres au-dessus de son territoire. Il revendique son territoire par ce qu'on appelle un *vol en chute libre:* il vole très haut, descend graduellement en planant et se laisse ensuite tomber dans l'air.

Un Pigeon biset défendant les environs de son nid.

L'Hirondelle bicolore défend la région immédiate de son nid en chassant les intrus. Les Corneilles d'Amérique défendent aussi uniquement les environs immédiats de leurs nids; créatures sociables, elles utilisent d'immenses perchoirs communautaires. Même si le territoire du Geai bleu est mal défini, celui-ci est très agressif envers les intrus, surtout les écureuils et les chats. Il attaque habituellement avec un bombardement en piqué. Le territoire du Geai à gorge blanche se limite à un seul chêne buissonnant.

La Mésange à tête noire et la Mésange minime (qui sont difficiles à différencier et qui se croisent là où leurs aires de répartition se chevauchent) ont un territoire d'alimentation, du mois d'août au mois de février, d'environ 550 à 800 ares, défini par la volée qui l'utilise. À l'exception des régions au nord de leur aires de répartition, d'où les mésanges ont tendance à migrer, ces petits groupes de résidents demeurent les mêmes tout au long de l'année. Il y a une hiérarchie de dominance dans la bande. Un couple retrouvé près d'un poste d'alimentation durant l'été a de fortes chances d'être le couple dominant de la bande en hiver.

Les oiseaux qui se nourrissent ensemble peuvent être «amis» ou partenaires. Cependant, les mésanges se reproduisent en couples isolés. De mars à juillet, le chant du mâle, un *fî-bî*, annonce un territoire de reproduction, allant de 2 000 mètres carrés à environ 4 hectares, qu'il défend agressivement avec des poursuites courtes et des luttes occasionnelles.

La Sittelle à poitrine blanche revendique un territoire allant de 10 à 20 hectares, alors que le Troglodyte familier n'a besoin que de 2 000 à 3 000 mètres carrés. Le Troglodyte de Bewick réclame un territoire de 45 à 90 mètres avant l'arrivée du Troglodyte familier.

Les Moqueurs polyglottes utilisent un territoire d'alimentation d'environ 5 hectares et un territoire de reproduction de 4 000 à 8 000 mètres carrés. Le mâle défend son territoire en chantant, en chassant, en bombardant en piqué et en montrant des ailes rabattues et une queue étendue. Les Moqueurs polyglottes sont exceptionnels par leurs luttes territoriales à l'automne pour protéger leur source de nourriture; ils demeurent habituellement dans leur territoire d'été pendant l'hiver. À propos des Moqueurs polyglottes, ils ne semblent pas imiter le son des autres oiseaux, ou d'autres sons, lorsqu'ils sont affairés à élever leur famille ou à défendre leur territoire. La moquerie semble être un passe-temps pour ceux qui n'ont rien d'autre à faire.

Les Moqueurs de Californie défendent ardemment les alentours de leur nid, dans un territoire de 2 à 4 hectares. Ils sont reconnus pour avoir attaqué des humains intrus. Le Moqueur chat revendique un territoire plus petit et le couple le défend ensemble en chantant, en chassant, en gonflant les plumes et en déployant les ailes. Le mâle défend son habitat contre les oiseaux et la femelle aide à la défense contre les autres intrus. On a rapporté une densité de huit couples de Moqueurs chats par 40,5 hectares; le territoire type pour un couple est de 0,4 à 1,2 hectare.

Les Merles d'Amérique utilisent une aire de 3 000 à 4 050 mètres carrés, mais les territoires se chevauchent souvent, donnant lieu à des poursuites et à des batailles. La Grive des bois défend de 800 à 8 000 mètres carrés. L'Étourneau sansonnet, habituellement sociable, défend la zone du nid en chantant, en donnant des coups de bec, en ébouriffant ses plumes, en battant des ailes et en avançant furtivement.

Les Viréos aux yeux rouges défendent de 4 000 à 8 000 mètres carrés de forêt par des chants, des poursuites, l'étalement de la queue et l'érection de la crête. La Paruline jaune peut nécessiter jusqu'à 9 hectares, mais dans un habitat favorable, on a dénombré jusqu'à 68 couples dans 1,5 kilomètre carré. La Paruline masquée défend un territoire de 2 000 à 4 000 mètres carrés en chantant d'un perchoir bien en vue, en effectuant des duels vocaux, des poursuites, des vols courts près des frontières, des battements d'ailes et des chants en vol. Ces derniers consistent à voler de côté sur une distance de 8 à 30 mètres en poussant des cris aigus. Ces oiseaux défendent leur territoire jusqu'au stade de la nidification (après que les oeufs sont éclos) et ensuite pour la deuxième nichée.

Le Moineau domestique demeure sociable, même pendant la nidification; il n'est pas rare de voir cinq nids très rapprochés dans un petit arbre. Il défend seulement le nid avec son cri *(tchurr)* et en allongeant la tête. Le Carouge à épaulettes défend un territoire de 500 à 1 000 mètres carrés, toujours adjacent aux territoires d'autres Carouges à épaulettes, en chantant, en inclinant le bec, en chantant en vol et en donnant des coups de queue. En se regroupant ils attaqueront les intrus, incluant les humains.

Les Carouges de Californie protègent un territoire de deux mètres carrés seulement. La nidification se fait toujours en colonies, et un lieu de nidification peut contenir de 50 nids à des milliers. Le Quiscale bronzé, dans sa colonie, défend de quatre à huit mètres carrés en jasant sur son perchoir. L'Oriole du Nord émet six ou sept sifflements pour défendre son territoire; l'Oriole des vergers ne fait pratiquement rien et est prêt à partager un arbre avec un autre couple.

Le Bruant chanteur défend jusqu'à la fin de l'été son territoire de 2 000 à 6 000 mètres carrés en chantant de son perchoir et en gonflant ses plumes. Le Chardonneret jaune défend son territoire similaire par des poursuites et des vols circulaires.

On a rapporté jusqu'à 52 couples de Passerins indigos dans 40,5 hectares d'habitat au Maryland. Le mâle défend en chantant sur un perchoir; la défense cesse avec la mue d'avril.

La seule constante dans les territoires semble être les environs du nid qui sont défendus par toutes les espèces. En outre, la densité varie selon la convenance du climat et sa productivité pour une année donnée, facteurs qui peuvent varier considérablement eux-mêmes.

Certains experts dénigrent l'«intelligence» des oiseaux en prétendant que ces derniers peuvent distinguer le sexe uniquement par le comportement et qu'ils ne peuvent même pas déterminer si un autre oiseau est mort ou vivant. Les geais pourraient donc attaquer un hibou empaillé.

3 L'ART DE FAIRE LA COUR

UNE FAMILLE DE MOINEAUX domestiques a emménagé dans un nichoir installé dans un arbre tout près de la fenêtre de cuisine de ma meilleure amie. Les Moineaux domestiques ne nichent pas exclusivement dans les cavités; s'il n'y avait pas eu de résidence plus luxueuse, ils auraient été tout aussi heureux de nicher dans la vigne sous la fenêtre. Louise espérait attirer une autre espèce, mais une fois que les moineaux eurent revendiqué la propriété, elle ne fit rien pour les décourager. Rien n'est plus actif qu'un moineau affairé, ce qui aide à éliminer certains préjugés associés à l'observation de leur comportement. Oui, ils sont d'une banalité extrême. Mais leur attitude casanière fait qu'ils sont appréciés par tous ceux qui sont dévoués à la vie familiale, en pratique ou en théorie. Les Moineaux domestiques font partie des rares oiseaux que nous observons qui utilisent le nichoir comme résidence pendant toute l'année. De plus, ils ont des arrangements familiaux persistants, ils sont plutôt sédentaires que migratoires et ils tolèrent — on pourrait même dire qu'ils encouragent — l'observation intime quotidienne.

À cause de leur proximité, Louise est au courant de l'immense activité domestique des Moineaux domestiques. Ils se sont installés à la mi-avril et en juillet, ils élevaient une seconde nichée et divertissaient toute une famille d'humains avec ce qui pouvait sembler une quantité démesurée de querelles et de chamailleries généralisées. Comme nous n'avons pas tous la possibilité ou le désir d'attendre dans une cache pour observer des oiseaux plus exotiques, il est agréable de pouvoir observer les oiseaux près de chez nous. L'observation de ces moineaux peu élégants a développé chez mon amie son intérêt pour les oiseaux en général.

Propagation des espèces

Une grande partie de ce que nous savons sur la reproduction des oiseaux découle du travail d'avant-garde du professeur William Rowan de l'Université de l'Alberta dans les années 1930. Il a étudié le photopériodisme (les effets des périodes de clarté) chez les oiseaux. Grâce à ses recherches sur les corneilles et les juncos, il a découvert qu'en augmentant artificiellement la longueur des périodes de clarté à l'automne et à l'hiver, les organes sexuels des oiseaux émergeaient de leur état de repos et grossissaient. Cependant, cette étude nous informe sur le comportement reproductif uniquement des oiseaux de la zone tempérée, où la durée du jour varie selon les saisons. Les oiseaux tropicaux peuvent s'accoupler à n'importe quel temps de l'année. En Afrique et en Australie, les précipitations affectent la nidification, peu importe la période de l'année.

Quel que soit l'endroit, l'unique constante semble être le cycle de repos, qui peut durer plusieurs mois. Pendant cette période «réfractaire», les organes de reproduction ne répondent à aucun stimulus. Cependant, après cette période, les oiseaux peuvent répondre à d'autres stimulus que la lumière. La chaleur, la pluie, la nourriture et la présence de partenaires et de lieux de nidification stimulent aussi les organes sexuels. Le froid, l'aridité, le manque de nourriture, de lieux de nidification et de stimulation sociale retardent leur accroissement.

Les mâles sont prêts pour l'accouplement avant les femelles et ils commencent leur parade de séduction. Le fait que le mâle soit prêt plus tôt peut expliquer le dimorphisme important (la différence entre les sexes) chez certains oiseaux. Le dimorphisme se voit non seulement dans le plumage (comme chez le Cardinal rouge) mais aussi dans les comportements. Les Gélinottes des armoises, par exemple, se rassemblent en arène tous les matins pendant quelques semaines. Pendant que les femelles observent de loin, les mâles se battent jusqu'à ce qu'une hiérarchie soit formée. Finalement, le mâle dominant s'accouple avec la plupart des femelles, même si parfois les mâles plus bas dans la hiérarchie s'accouplent avec des femelles pendant que l'oiseau dominant est occupé. Les jaseurs, lorsqu'ils font la cour, offres de baies à la femelle, de la même façon et dans le même esprit que les humains offrent des chocolats. L'offrande de nourriture aide les espèces où le mâle et la femelle se ressemblent à différencier les sexes. L'acceptation de nourriture de la part d'une sterne mâle, de la façon soumise adéquate, indique que ce dernier a trouvé une femelle; si le picotage qui l'accompagne provoque une prise de becs, il s'est trompé.

D'autres manifestations chez les oiseaux mâles incluent des postures étranges, des vocalisations bruyantes et des mouvements du sac sur la gorge ou des plumes de la crête, du collier ou de la queue.

Les parades peuvent ressembler à une danse et certaines comprennent ce que les ornithologues appellent des chants non vocaux — le tambourinage ou le bruissement des ailes. (En plus de ces manifestations visant à attirer les femelles, il y a des manifestations défensives, des menaces à l'endroit des autres mâles de la même espèce pour défendre le territoire; des comportements de distraction, simulant une blessure ou une maladie, qui visent à éloigner les ennemis du nid.)

Les dessins sur les ailes ou la queue, la couleur des pieds et du bec permettent de différencier le mâle de la femelle. Les oiseaux chanteurs aux couleurs éclatantes feront moins de manifestations extravagantes que les oiseaux moins colorés; on croit que l'éclat du plumage suffit à attirer la femelle. (Il y a bien sûr des exceptions, comme le paon qui se lance dans des manifestations élaborées malgré son plumage éclatant.) Le plumage du printemps est la livrée nuptiale, peu importe si l'oiseau reproduit ou non. Même si la mue prénuptiale peut être partielle seulement, la perte éventuelle des pointes de plume neutres révélera des couleurs plus vives. (Vous avez peut-être remarqué le plumage moucheté de l'Étourneau sansonnet pendant l'hiver qui devient lustré au printemps. Les mouchetures sont simplement de la couleur sur le bout des plumes.)

Une caractéristique intéressante du plumage est que chez les espèces où les sexes se ressemblent, le mâle et la femelle partagent habituellement la construction du nid, l'incubation et l'élevage des petits. L'Hirondelle bicolore et l'Hirondelle des granges en sont des exemples. Les troglodytes, les mésanges et même les geais partagent aussi les tâches domestiques. À l'opposé, on retrouve les mâles du Carouge à épaulettes, du Colibri roux ou du Faisan de chasse, qui laissent toujours à leurs partenaires les responsabilités du nid. De même, vous ne surprendrez jamais un coq dans le nid!

La plupart des oiseaux sont monogames pour au moins une saison de nidification et les oiseaux non migrateurs demeurent habituellement avec le même partenaire pour une année ou plus. Généralement, les oiseaux s'accouplent à nouveau lorsqu'un des partenaires meurt. Le taux de mortalité est élevé pendant la saison de nidification, mais il y a toujours un bassin d'oiseaux célibataires. Lorsqu'un sexe est plus nombreux qu'un autre, des couples homosexuels se forment parfois, surtout chez les oiseaux captifs. Certaines rares espèces changent de partenaire entre les nichées. Dans une colonie de Carouges à épaulettes, le mâle peut avoir de la difficulté à défendre son territoire contre le grand nombre de mâles. La femelle du Carouge à épaulettes s'accouple parfois avec plus d'un partenaire.

La période d'accouplement commence habituellement à la fin de la période de migration printanière. (Certains grands oiseaux qui ne s'accouplent pas avant deux ou trois ans passent toute l'année dans leur aire d'hivernage.) Généralement, le mâle commence sa parade aussitôt que la femelle arrive dans un territoire donné. Au début, la femelle n'est habituellement pas réceptive à la copulation; les manifestations finissent par la stimuler et elle accepte.

Les parades permettent aux sexes de s'attirer même s'ils sont des rivaux pour la nourriture. Les manifestations sexuelles du mâle attirent la femelle, mais repoussent les autres mâles. Ces manifestations continuent après l'accouplement pour maintenir le lien qui assure les soins adéquats aux petits. Certaines manifestations sexuelles, telles la construction du nid ou l'offrande de nourriture par le mâle, sont symboliques. Le quémandage — habituellement lorsque les jeunes ouvrent la bouche et picotent — est parfois une démonstration de séduction; des poursuites sexuelles l'accompagnent souvent. Les oiseaux aquatiques pourchassent sur l'eau. Les autres pourchassent dans les airs ou sur la terre. Quelques oiseaux, tels les colibris et les oiseaux de proie, font la cour exclusivement en vol. Pendant la période de pariade, les mâles et quelques femelles de certaines espèces, comme les Cardinals rouges et les Merles d'Amérique, deviennent tellement agressifs qu'ils se battent contre leur propre réflexion dans l'eau ou sur une surface réfléchissante.

Les manifestations sexuelles coïncident habituellement avec l'arrivée au lieu de reproduction. Le couple se forme, construit le nid, s'accouple, pond et couve les oeufs. Les oeufs éclosent, les petits grandissent et la famille se sépare. Les cycles de reproduction sont prévus de façon que les oisillons quittent le nid lorsque le climat est le plus favorable, et la nourriture, la plus abondante. Par exemple, dans le nord-est des États-Unis, les oiseaux de retour se reposent et pondent ensuite leurs oeufs en mai, alors que les vagabonds, tels les Jaseurs des cèdres, ou les résidents permanents, tels les Chardonnerets jaunes, pondent leurs oeufs en été et nourrissent leurs petits de baies et de graines et non d'insectes. Comme ils ne sont pas pressés pour se rendre quelque part, ils peuvent se permettre une approche apparemment plus lente.

Cas particuliers

Assez de généralités. Commençons par les oiseaux aquatiques monogames. Les Cygnes trompette, qui s'accouplent pour la vie, forment des couples avant même d'être matures sexuellement. Ils se font la cour par des manifestations mutuelles sur l'eau. Face à face, les ailes à demi déployées, ils s'élèvent sur l'eau et s'y reposent en faisant des cercles. Les Bernaches du Canada s'accouplent également pour la vie avant d'être matures sexuellement et, en plus, elles se comportent comme si elles pleuraient la perte d'un partenaire. Elles se font la cour en criant, assises côte à côte, et en courbant le cou. Cela semble peu, mais la Bernache s'en satisfait.

Les canards sont monogames mais la femelle a la tâche d'élever les petits. Les mâles sont souvent voyants dans leur livrée nuptiale. Le Canard roux, par exemple, porte un plumage roux, une cape noire et un bec bleu pour faire sa cour. Les mâles poursuivent la femelle sur l'eau et celle-ci choisit celui qu'elle désire. Les Canards colverts commencent à parader en groupe avant de former des couples; leur cour débute à l'automne et se continue jusqu'au printemps. Les mâles agitent la tête et la queue, courbent le cou en pointant la tête vers l'eau et sifflent. Le mâle et la femelle se lissent les plumes. Juste avant la copulation, les partenaires, face à face, agitent la tête. La copulation forcée est courante chez les Canards colverts pendant l'incubation et l'élevage des oisillons.

Le comportement courtisan des gélinottes est assez intéressant. Le mâle gonfle les sacs d'air sur son cou afin d'augmenter la résonnance de ses cris, appelés *échos*, lorsqu'il parade. Chez la Grande Poule-des-prairies, les sacs sont jaune-orange vif avec des plumes noires hérissées sur le dessus. Sur un *terrain d'échos* (où ils se donnent en spectacle), on peut retrouver annuellement jusqu'à 50 mâles ensemble, la tête et le cou en avant, les sacs bien gonflés, les ailes rabattues et la queue relevée. Après leur cri d'écho, ils trépignent, tournent et courent en cercle. L'accouplement survient sur les lieux tout de suite après la cérémonie de danse. Les mâles sont polygames; les femelles quittent l'arène et vont vaquer à leur tâches domestiques seules. La Gélinotte à queue fine offre une performance semblable, mais la Gélinotte huppée produit un tambourinage avec ses ailes.

Les Grues blanches d'Amérique, qui se partagent la responsabilité de l'élevage des petits, partagent aussi la parade. Le mâle approche la femelle et s'incline. Ensuite, les deux paradent, avec des battements, des pas et des positions merveilleusement synchronisées, après quoi le mâle peut sauter complètement par-dessus la femelle. Cette dernière semble être favorablement impressionnée par cette démonstration étrange. Les Mouettes à tête noire ont un problème bien particulier, mais elles ne sont pas les seules à le vivre. À cause de la ressemblance des sexes, le mâle fonce sur une autre mouette pour déterminer son sexe; un autre mâle contre-attaquera inévitablement. Si la mouette ne réplique pas, le mâle se tourne en direction opposée. Les deux tournent la tête d'un côté et de l'autre; ensuite, la femelle commence à quémander, symboliquement, pour de la nourriture. Elle finit par s'accroupir pour indiquer qu'elle est prête pour la copulation.

Dans *The Courtship of Birds*, Hilda Simon fait mention d'un paon qui paradait uniquement devant des tortues géantes, avec qui il avait grandi, et d'un Choucas des tours qui offrait de la nourriture seulement au naturaliste qui l'avait élevé. Les deux oiseaux étaient *implantés*, un phénomène que connaissent bien tous ceux qui ont élevé un oison nouvellement éclos sans la présence d'une oie adulte, ou même un bébé mammifère. Les bébés présument que la première chose qu'ils voient est un parent. À moins que cette impression ne soit corrigée par une association avec d'autres membres de leur espèce, ils conservent leur fausse déduction et démontrent un comportement anormal.

Le Goéland argenté nourrit sa partenaire et les deux balancent la tête. Une fois que le couple est formé, le mâle régurgite de la nourriture pour la femelle. Le rituel du mâle nourrissant la femelle chez diverses espèces provient peut-être du besoin accru en calories de la femelle pendant la période de reproduction.

Le Busard Saint-Martin effectue des vols nuptiaux spectaculaires. Le mâle plonge à plusieurs reprises d'une hauteur d'environ 20 m (parfois jusqu'à 150 m) descend jusqu'à 3 m du sol, puis remonte et recommence sa performance, habituellement 25 fois. Le record observé de plongeons en piqué est de 71! Le mâle de la Crécerelle d'Amérique plonge des hauteurs et fonce vers le nid en remontant. Les crécerelles font la cour pendant environ six semaines; elles copulent aussi souvent que 15 fois par jour, se séparent ensuite et se lissent les plumes.

Chez les colombes — pourtant symboles de paix et d'amour — la cour suit une bataille enragée entre les mâles qui se battent avec les ailes. Parmi les Colombes incas, les plus vieux oiseaux s'accouplent avant les plus jeunes. Le mâle et la femelle manifestent leur intérêt par des mouvements de tête, des roucoulements et des lissages de plumage mutuels; le mâle ajoute une queue en éventail vertical à sa performance. Le Pigeon biset et la Tourterelle triste s'accouplent tous les deux pour la vie. Le mâle, les plumes gonflées et les ailes frémissantes, se pavane, incline la tête et roucoule. Le mâle de la Tourterelle triste exécute la «danse de la tour», où il vole jusqu'à une hauteur d'environ 10 mètres, voltige, descend un peu, voltige à nouveau et continue ainsi. Le mâle tourne parfois autour de la femelle avec sa queue en éventail. La Tourterelle tigrine, introduite en Amérique du Nord de l'Asie du Sud-Est, monte à 30 m au-dessus d'un haut perchoir et plonge vers le sol en faisant des spirales.

Le vol en groupe, le vol en trio et le vol plané en «V» (un groupe d'oiseaux planant dans une formation en «V») des Martinets ramoneurs font probablement partie de leur rituel de séduction. Ils s'accouplent en vol et dans le nid. Le Colibri d'Allen vole jusqu'à une altitude d'environ 23 m; ensuite il plonge, revient vers le haut, fait l'aller-retour rapidement en criant sur un arc en demi-cercle. Au haut de l'arc, il étend sa queue, secoue son corps et plonge à nouveau. Il répète sa performance plusieurs fois, remonte à 23 m et recommence.

La parade du Colibri d'Anna est semblable, mais le Colibri à gorge rubis demeure perché et attend la femelle. Ensuite, il commence un vol de pendule allant de 1 à 12 mètres, durant de 2 à 20 minutes. Quelquefois, il monte haut, plonge, fait face à la femelle et déploie ses ailes et sa queue avant de remonter. Dans une autre cérémonie, le mâle fait face au nid et vole de côté sur environ 8 mètres, de l'est à l'ouest, puis il revient, s'arrêtant tous les mètres environ pour planer et chantonner. Le mâle et la femelle effectuent ensemble un vol courtisan caractéristique. Partant à environ un demimètre l'un de l'autre, ils volent vers le haut et le bas à environ 3 mètres de distance, dans des directions opposées, de façon que le mâle soit au-dessus, la femelle, en bas et vice versa.

Il n'est pas surprenant de voir les Martinets ramoneurs et les colibris faire leur cour dans les airs; leurs pieds sont très faibles et pas du tout appropriés pour percher et marcher, comme chez plusieurs autres. Malgré la cour compliquée qu'ils font, une fois l'accouplement accompli, le mâle disparaît complètement, laissant toute la responsabilité de la maisonnée à la femelle.

La cour du Pic flamboyant est simple mais un peu particulière, consistant principalement en mouvements de tête et en voltige. Il est étrange de voir deux femelles faire la cour à un mâle (c'est lui qui porte une moustache noire, de toute évidence). Le Pic chevelu tambourine, se pose silencieusement et voltige. Son sosie miniature, le Pic mineur, se déplace simplement d'un arbre à un autre et vole en faisant une grande boucle.

Le Tyran tritri est reconnu pour être agressif et même lorsqu'il fait la cour, il semble hostile au départ, comme s'il essayait d'éloigner la femelle de son territoire plutôt que de l'inviter à le partager. Le battement d'ailes caractérise sa parade. L'Hirondelle bicolore voltige, se courbe et roucoule.

La cour du Geai bleu est étonnamment discrète et peut consister simplement de mouvements de tête et d'alimentation du partenaire. Il n'est pas rare de voir une bande de mâles poursuivant une seule femelle au moment de la reproduction. De telles poursuites sont bruyantes, mais que peut-on attendre d'autre des Geais bleus? Le nombre diminue graduellement jusqu'à ce qu'il reste un couple, silencieux. De telles poursuites peuvent survenir chez des oiseaux qui s'accouplent pour la première fois.

On ne sait pas grand-chose de la cour du Casse-noix d'Amérique; on la suppose même plus tranquille que celle des geais. La cour de la Corneille d'Amérique, leur parent, commence avec des luttes dans la bande. Considérant leur comportement habituel, cela n'a rien de surprenant. Mais que dire des corneilles accouplées qui se becquettent comme des cygnes! Pendant la cour, elles se perchent ensemble sur une branche. Le mâle marche vers la femelle, se courbe, hérisse ses plumes et étend ses ailes et sa queue. Il lève la tête puis la baisse, une attitude très raffinée qui ne manque pas d'impressionner la dame.

Un Merle d'Amérique attaquant un enjoliveur de roue.

Le comportement séducteur de la Mésange bicolore est inconnu; ici, l'intimité gagne. Certains croient qu'il s'agit de l'offrande rituelle de nourriture à la femelle et des battements d'ailes du mâle et de la femelle. Je crois que cette supposition est basée sur le comportement de leurs parents, comme les mésanges. Nous savons que le battement d'ailes est l'activité principale de la parade de la Mésange à tête noire, survenant du mois de mars au mois de juin, après la séparation de la volée d'hiver. Le couple se becquette et se nourrit mutuellement. Beaucoup plus spectaculaires sont les Mésanges à tête brune qui se nourrissent en volant, la femelle battant des ailes et hérissant ses plumes.

La Sittelle à poitrine blanche est un exemple d'oiseau qui s'accouple pour la vie plutôt que pour la période de reproduction. Le mâle, en faisant sa cour, se courbe, chante et feint d'intimider la femelle. Le rituel du mâle de la Sittelle à poitrine rousse est quelque peu plus compliqué; celui-ci se pavane devant la femelle, se lisse les ailes et la queue et s'incline. Pour couronner le tout, il vole au-dessus des pins, sur une trajectoire ovale longue de 30 mètres.

Une fois que le Troglodyte familier mâle a trouvé un territoire adéquat, il commence à chanter pour défendre son domaine et attirer une femelle. Il remplit les maisons de son territoire avec des brindilles; finalement, une femelle apparaît et commence à inspecter les sites de nidification pendant que le mâle secoue ses ailes et sa queue et qu'il voltige. Le Troglodyte des forêts mâle est également très occupé. Il construit plusieurs nids et les montre à la femelle pour qu'elle les approuve. Elle choisit celui qu'elle juge le meilleur. Le mâle, apparemment incapable de gaspiller tout ce dur travail, montre les autres nids à une autre femelle et se retrouve ainsi avec une deuxième partenaire.

Parmi les Mimidés, le Moqueur roux mâle se pavane et traîne la queue pour séduire sa partenaire et il en recherche une autre pour la deuxième couvée. Le Moqueur chat mâle étale ses ailes et sa queue. Il poursuit aussi la femelle en vol, se courbe, gonfle son plumage et se pavane.

Le Moqueur polyglotte choisit un perchoir élevé du haut duquel il chante. Il saute et culbute de son perchoir. Après avoir pourchassé la femelle, le mâle exécute un vol en boucle. Lorsque la femelle est attirée, ils commencent à danser, face à face sur le sol, à 30 centimètres l'un de l'autre, sautillant d'un côté et de l'autre ensemble ou à tour de rôle. Le mâle étire aussi ses ailes, bouge sa queue de haut en bas et roucoule. Il peut ramasser une brindille et courir dans tous les sens. Il s'agit peut-être d'une promesse d'aider à construire le nid.

Le Viréo aux yeux rouges pourchasse la femelle lui aussi, mais la suite de leur spectacle se limite à étendre et à balancer la queue. À l'opposé, les Merles d'Amérique deviennent très agressifs une fois que la volée se sépare; ils luttent entre eux (ou contre leur réflexion), comme s'ils étaient des coqs de combat. Ils baissent la tête, élèvent la queue et s'accroupissent pour attirer la femelle. Ils sont généralement, mais pas nécessairement, monogames. Leurs cousines, les Grives des bois, concentrent leurs efforts à poursuivre les femelles très vite à travers les bois.

Les Étourneaux sansonnets agitent les ailes et pourchassent; ils gardent le plus intéressant pour le nid, là où ça compte vraiment. Les Parulines masquées volent en couples et la femelle bat des ailes pour signaler son acceptation du mâle, ce qui paraît plutôt fade comparé à d'autres espèces. Le Moineau domestique mâle, de son côté, devient aussi batailleur que le Merle d'Amérique pendant la période d'accouplement. Il déploie et bat des ailes, et s'accroupit. La femelle ouvre son bec et fait un mouvement brusque vers l'avant, comme si elle voulait le blesser. De toute évidence, il sait ce que cela signifie.

La polygamie et la polyandrie sont plus répandues chez le gibier à plumes que chez les oiseaux chanteurs, mais il y des exceptions. Les Carouges à épaulettes mâles ont en moyenne trois partenaires. Ils exécutent leur chant en vol, s'accroupissent et pourchassent les femelles de leur choix, avec qui ils demeurent environ trois semaines. Le Quiscale bronzé approche la femelle tête baissée, bec incliné,

L'immense énergie physique, l'excitation, la curiosité et la peur des prédateurs caractérisent les oiseaux pendant toutes les saisons; pendant la pariade, la colère s'ajoute aux autres comportements.

ailes et queue déployées, plumes du cou et du dos hérissées. La femelle bat des ailes en signe d'acceptation. Le mâle la laisse lorsqu'elle couve les oeufs et il se trouve une autre partenaire, ce qui peut être bon pour l'espèce, mais un tantinet difficile pour la femelle.

Les Orioles du Nord, monogames, abaissent leurs ailes et leur queue, les déploient, agitent la tête, sifflent et voltigent ensuite dans les airs. Les Orioles des vergers ont un spectacle plus simple; ils saluent la femelle de la tête et chantent vigoureusement. Ils sont peut-être trop préoccupés avec l'idée de finir le cycle pour juillet, lorsqu'ils migrent vers le sud, pour perdre du temps avec les préliminaires.

Si vous êtes dans la forêt au printemps et croyez entendre un troupeau d'orignaux approcher, ce peut être simplement un Tohi à flancs roux pourchassant la femelle de ses rêves. Le vacarme que les tohis peuvent faire dans leurs activités est impressionnant. Lorsqu'ils font la cour, le mâle et la femelle ouvrent et ferment rapidement leurs ailes et leur queue.

On sait peu de choses sur la cour du Tangara à tête rouge, mais elle peut inclure l'offrande de nourriture. Les Bruants chanteurs sont habituellement plus visibles que les tohis; ils sont agressifs et pourchassent les autres mâles en plus des femelles, avec bien sûr des intentions différentes.

Vous pouvez facilement observer le Cardinal rouge près de chez vous; le mâle poursuit la femelle, se bat avec d'autres mâles, descend en piqué et plonge. Si vous avez de la chance et vous trouvez au bon endroit, vous apercevrez le merveilleux Passerin nonpareil alors qu'il se pavane en étendant ses ailes et sa queue. Les Passerins nonpareils sont si batailleurs envers les autres mâles que leurs combats sont parfois fatals.

Plus tard dans la saison, guettez le Chardonneret jaune qui pourchasse une femelle. Les chances sont bonnes, car la poursuite dure parfois jusqu'à 20 minutes dans un vol plat. Le Roselin familier tourne autour de la femelle en sautillant, en baissant les ailes et en hérissant les plumes de la couronne et du cou.

J'attends toujours avec impatience l'arrivée du Cardinal à poitrine rose au printemps; c'est un des oiseaux que je préfère parce qu'il est incroyablement beau, encore plus que l'Oriole du Nord. Les mâles se bagarrent. Ils chantent et voltigent autour de la femelle lorsqu'ils lui font la cour.

4 LE CHANT DES OISEAUX

EN 1650, ATHANASIUS KIRCHER publiait un livre décrivant le chant de certains oiseaux en notation musicale, mais ce qu'on considère comme l'étude scientifique du chant des oiseaux débuta au XXe siècle seulement.

En 1904, F. Schuyler Mathews publiait *Field Book of Wild Birds and Their Music*, une source reconnue qui utilise les gammes de musique normales pour illustrer le chant des oiseaux. Il est épuisé depuis longtemps, mais plusieurs bibliothèques en ont des exemplaires. Il est très complet, bien qu'il soit quelque peu subjectif. Dans l'introduction, Mathews écrit: «Il [l'oiseau] ne peut soutenir une mélodie bien longue, pas plus qu'il ne peut se conformer à notre idée traditionnelle du mètre, mais il peut garder le temps parfaitement et la connaissance de ses méthodes rythmiques est, à mon avis, le plus grand facteur dans l'identification par l'oreille!»

Aretas A. Saunders publiait en 1935 le *Guide to Bird Songs*, qui présentait des formules d'identification et des syllabes phonétiques; on le considère encore très utile. Le développement des appareils d'enregistrement électroniques et des spectographes a permis l'étude objective des chants d'oiseaux, qui font partie d'un comportement intégré complexe. Même si les chants individuels peuvent varier considérablement, des caractéristiques normalement présentes permettent l'identification des espèces.

Le chant des oiseaux fait partie de la parade nuptiale. Tout comme les chants non vocaux qui les accompagnent souvent, tels le tambourinage ou le bruissement d'ailes, les manifestations nécessitent à la fois des organes spécialisés et un certain développement du cerveau. C'est le cas du *chant* vocal, qui demande plus d'apprentissage (incluant l'imitation) que le *cri* des oiseaux. Le cri est souvent un son unique, comme un gloussement ou un pépiement. Même si le cri est répété, il aura probablement peu de variantes. Cependant, les cris ont plusieurs fonctions, dont réprimander, avertir, quémander, signaler une alerte, la colère ou un endroit, et envoyer des appels.

Les chants consistent en une série de notes dans un arrangement plus ou moins perceptibles. Ils ont tendance à être plus lents, plus détendus et ils sont d'abord des jeux de petits. Ils sont relativement courts à cause de la durée d'attention limitée des oiseaux. Habituellement, les femelles chantent moins que les mâles, mais elles chantent plus dans les zones tropicales que dans les zones tempérées. Le chant de la femelle de la Mésange à tête noire est seulement un *fî-bî*; à l'opposé, la femelle du cardinal chante aussi bien que le mâle. Chez les mâles, le chant est étroitement lié à la présence d'hormones mâles et il est plus fort pendant la saison d'accouplement.

Même si le chant fait partie de la parade, il sert bien plus qu'à annoncer un territoire ou à attirer une femelle. Les oiseaux peuvent, par le chant, identifier non seulement leur propre espèce, mais aussi les individus de leur espèce. Cela peut être très important. Les oiseaux peuvent produire environ une vingtaine d'oeufs pendant leur vie et ils réussissent seulement à se remplacer, ce qui est un signe de la vie dangereuse qu'ils mènent. Ils doivent être en mesure de dire qui est qui, et de reconnaître un cri de détresse d'un cri de faim ou d'alerte. Les signes visuels ne sont pas suffisants. Non seulement les oiseaux de la même espèce se ressemblent, mais les femelles d'espèces *différentes* se ressemblent aussi. Plusieurs bruants, le Roselin pourpré et le Roselin familier, le Dickcissel, le Chardonneret des pins et les pipits en sont des exemples. Personne n'a encore décidé si le chant des oiseaux était de la musique ou un langage, de la poésie ou de la prose, mais il doit être perceptible de loin pour remplir ses fonctions.

Même si le chant prénuptial est le plus riche, le chant accompagne aussi la construction du nid, l'incubation, les soins des petits, le départ des jeunes, le perchage, l'automne, la migration et l'hiver. Par leurs vocalisations, les oiseaux revendiquent leur territoire, invitent à l'accouplement et au nid, demandent de quitter le nid, maintiennent et renforcent le lien sexuel, et encouragent la formation de groupes.

Concernant la théorie qui veut que les animaux trouvent du plaisir dans leurs activités, certains observateurs croient que, malgré la relation entre le besoin et l'habileté, l'oiseau habile chante même s'il n'a pas de besoin pressant et avec plus de fréquences et de variations qu'il est nécessaire. Ils insistent que tout comme la musique de l'humain a une fonction, qui est de servir de stimulation dans la guerre, l'amour et l'imaginaire, les oiseaux chantent pour exprimer leurs émotions. Personne ne nie le fait que les oiseaux sont aussi sophistiqués musicalement que l'humain; si primitif que soit leur chant, il persiste lorsqu'il n'y a aucun besoin apparent.

Certains experts, enclins à la rumination philosophique, croient que le chant des oiseaux sert parfois de soupape émotive à un excès d'énergie ou à une effusion de joie. C'est le *chant* d'*extase*. Ce genre de chants est exécuté au hasard et quelquefois accompagné par ce qu'on appelle un *vol d'extase*. Il semble difficile pour plusieurs de croire que cette activité soit motivée par une recherche d'harmonie et qu'elle ait pour but de fuir la discorde et l'ennui. Pour ma part, je suis prête à considérer cette idée. Même si vous croyez au principe que tout a une *fonction* dans la nature, cela ne doit pas éliminer la possibilité d'un sentiment esthétique. (Je parle de *sentiment* esthétique et non de pensée esthétique.)

On a tenté de quantifier certains aspects du chant des oiseaux afin de déterminer si la quantité annuelle correspond au degré de besoin, au développement ou à la distribution des chanteurs accomplis dans divers groupes taxonomiques. Les ornithologues étudient

Les chants d'oiseaux sont parfois divisés en chants primaires et secondaires. Dans la catégorie des chants primaires, on retrouve: le chant du mâle pour repousser les autres mâles hors de son territoire; les signes utilisés pour coordonner les activités, surtout les activités avec le partenaire; les chants émotifs (raison inconnue); et le chant de la femelle, qui est moins courant en Amérique du Nord que dans les autres parties du monde. Les chants secondaires comprennent le chant murmuré, qui est un chant territorial sans implication territoriale (c'est-à-dire qu'il ne cherche pas à éloigner les rivaux ou même à être entendu par ces derniers) et qui est exécuté par les deux partenaires à tout moment; et le gazouillis, qui est différent du chant territorial et exécuté surtout par les jeunes. Le gazouillis peut être comparé au jeu des jeunes animaux; il s'agit d'un genre de pratique pour les oiseaux immatures.

la simple répétition, la répétition avec variante, le répertoire des chants répétés, ce répertoire plus les variations, les séquences variées et les séquences de pot-pourri.

L'imitation est courante chez les oiseaux chanteurs et on croit qu'elle indique un intérêt pour les sons en tant que tels. Les oiseaux d'une région développent ce qu'on pourrait appeler un dialecte, à l'instar des humains. Les dialectes des oiseaux ont toujours une base *géographique*, malgré une prédisposition héréditaire pour un certain type d'expression. Par exemple, l'isolation de leur espèce d'un groupe de mésanges favorise la formation d'un dialecte. Les cris sont plus constants que les chants, car ils impliquent moins d'imitation (apprentissage). Les «accents» sont plus apparents dans les chants appris que dans les cris imités.

Dans son livre *Bird Songs*, Norma Stillwell raconte comment son mari et elle ont commencé à enregistrer le chant des oiseaux plus ou moins à temps plein lorsqu'ils ont pris leur retraite. Dans leurs voyages, ils ont découvert une grande variété de chants, selon le lieu de résidence de l'oiseau. (Ils ont ressenti la dimension esthé-

Bruant chanteur.

tique du chant des oiseaux lorsqu'un ami récita un poème du poète américain Whitman au son du chant d'un Moqueur polyglotte.) Ils acquirent graduellement de l'équipement de plus en plus sophistiqué; ils apprirent les meilleures techniques pour les utiliser chemin faisant et continuèrent à voyager pendant la saison des chants, allant au sud en mars et suivant les oiseaux jusqu'au début de juillet. Ils ont produit et largement diffusé trois volumes de chants d'oiseaux enregistrés dans la cour, le champ et la forêt.

Certains chants créés par les oiseaux sont uniques à l'individu, même si le chant se développe initialement par l'imitation. Nous connaissons tous le talent du Moqueur polyglotte pour imiter le chant des autres oiseaux et d'autres sons. On peut même apprendre le chant d'autres espèces en écoutant les imitations d'un Moqueur polyglotte. Les autres membres de la famille des Mimidés peuvent sonner beaucoup comme le Moqueur polyglotte, mais ils identifient leur espèce assez facilement. Les Moqueurs chats chantent une phrase une seule fois; les Moqueurs roux la répètent une fois et les Moqueurs polyglottes la répètent plusieurs fois. On estime que le Moqueur roux est capable de produire un millier de sons perceptibles différents. Plusieurs oiseaux peuvent même apprendre à «parler», mais cela est uniquement possible avec les oiseaux en captivité; apparemment, ils ne le font pas dans la nature. Les oiseaux captifs apprennent peut-être à parler pour s'adapter socialement et pour attirer l'attention dont ils ont besoin.

Les humains préfèrent généralement les chants territoriaux d'oiseaux qui sont plutôt discrets visuellement, précisément ceux qui ont le plus grand besoin d'un chant distinctif. Ils se mélangent si bien à leur entourage qu'ils sont difficiles à repérer même par les autres membres de leur espèce. Chaque espèce a habituellement deux types de chants distincts ou plus, qui peuvent avoir des variations régionales. Les Cardinals rouges en ont deux douzaines ou plus, et Aretas Saunders a noté 884 variantes dans les chants du Bruant chanteur.

Les meilleurs chanteurs sont les Passereaux, surtout les grives (Muscicapidés), les moqueurs (Mimidés) et les troglodytes (Troglodytidés). Évidemment, les familles diffèrent écologiquement et, présumément, dans leur ascendance; et cela correspond au degré de développement de leur chant. (Si le chant assure le succès de la reproduction, les oiseaux, en évoluant, finissent par développer l'équipement anatomique nécessaire pour chanter.)

En outre, le niveau esthétique d'une chanson accordé par l'humain correspond au développement physique de l'oiseau. Nous jugeons les Mimidés — Moqueur polyglotte, Moqueur chat, Moqueur roux — comme de bons chanteurs et ils ont tous sept paires de muscles de cordes vocales, alors que la plupart des autres oiseaux en ont une seule paire.

Même si les caractéristiques du chant son influencées par la construction du syrinx, ou des cordes vocales, le chant perfectionné est probablement appris. Ainsi, le chant évolue au même rythme que l'oiseau. Les goélands et les oiseaux de proie, qui sont au bas de l'échelle de l'évolution des oiseaux, n'ont pratiquement aucun chant. Mais les oiseaux percheurs, tels les moqueurs, qui sont parmi les oiseaux les plus évolués, chantent beaucoup. Les oiseaux de petite taille semblent chanter davantage, peut-être parce que le chant permet de reconnaître le chanteur de loin.

Le chant en soi se caractérise par le ton, l'intensité, le volume et la qualité. Les différents chants se distinguent par le rythme, la répétitivité, les notes, les trilles et les phrases. Edward A. Armstrong, une autorité respectée dans le domaine du chant, des manifestations et du comportement des oiseaux, croit que deux phrases ou plus en succession régulière peuvent correspondre à un énoncé structuré. Selon cet auteur, le chant transmet de l'information sur la localisation de la nourriture, les lieux de nidification, les perchoirs et les prédateurs. De plus, ils peuvent transmettre de l'information sur l'espèce, le sexe, l'identité individuelle, le statut, les motivations sexuelles, les besoins, l'agressivité, l'alerte ou la crainte et la localisation d'un individu. On peut croire sans hésitation que le chant donne une idée de l'étendue du territoire, du nombre de mâles dans les environs (parce que les mâles chantent plus dans les endroits populeux) et le stade du cycle de reproduction.

Les variations du chant des oiseaux semblent illimitées. On peut entendre le «chant chuchoté» lorsque la température est mauvaise, y compris lorsqu'il fait extrêmement chaud, mais certains oiseaux chantent tout bas près du nid, peu importe la température. La Grive à dos olive chante le chant murmuré pendant la migration, et les viréos, lorsqu'ils arrivent pour la première fois sur leur territoire. Le Geai bleu le chante lorsqu'il se croit seul; de toutes façons, cela ne changerait en rien sa réputation de criard.

Le chant des oiseaux est plus courant à l'aube et au crépuscule qu'en d'autres temps, mais vous en entendrez moins pendant les périodes froides, les périodes de grands vents et de fortes pluies. Certains oiseaux diurnes, tels le Moqueur polyglotte, le Rossignol et le Troglodyte des marais, chantent aussi la nuit. Les oiseaux commencent à chanter lorsqu'ils sont jeunes; ils ont un répertoire complet au moment où ils commencent à se reproduire.

Lorsqu'ils défendent leur territoire, les oiseaux chantent généralement d'un perchoir ouvert habituellement éloigné du nid, mais certains mâles chantent lorsqu'ils sont dans le nid. Ils chantent aussi en vol. Même si les femelles chantent moins souvent que les mâles, les duos en couple peuvent renforcer les liens des partenaires. Puisque les chants sont plus courants chez les oiseaux qui habitent un endroit populeux, ils peuvent les aider à communiquer lorsque le contact visuel est difficile.

Cas particuliers

Même si la translittération des chants d'oiseaux en combinaisons de lettres me semble parfois incompréhensible, il s'agit néanmoins d'une pratique répandue qui constitue la base de la description des chants d'oiseaux. Ainsi, et parce que je n'ai rien de mieux à offrir, je l'utilise dans cette section qui, je l'espère, vous sera utile et agréable.

Le cri de la Crécerelle d'Amérique est strident *(kili-kili-kili)* lorsqu'elle est dérangée, plaintif lorsqu'elle transporte de la nourriture et crépitant pendant les avances et la copulation. La Colombe à queue noire pousse son *oua-op* entre 7 et 20 fois, et le cri du mâle en période d'accouplement est *coul-coul*. Lorsque le mâle de la Tourterelle triste étend sa queue pour en montrer le blanc, il appelle, ferme sa queue, attend et répète tout le processus. Sa chanson d'amour ressemble à *cou-ah, cou, cou, cou, oou; ah-cou-rou-ou*.

Le son *oui-oui-oui* que l'on entend quand il vole pourrait être un chant plutôt que le bruit des ailes. La Colombe inca roucoule en agitant la tête; le mâle chante son *cot-cot-cot-ca-douah*. Le chant de la Tourterelle tigrine importée est dur et vigoureux: *ououk-co-ouaou.*

Le Colibri d'Anna mâle pousse de petits cris et gazouille, émettant des notes aiguës *ztikl-ztikl-ztikl* lorsqu'il poursuit. Le mâle et la femelle font tous les deux un son qui ressemble à *tchip*. Le Colibri d'Allen fredonne, chantonne et pousse de petits cris.

Le Pic flamboyant appelle *youk-youk-youk*; le Pic à ventre roux chante *tcha tcha tcha* ou *tchurr, tchurr, tchurr* et tambourine. Même si le Pic chevelu dit habituellement *pîk* seulement, il change son cri lorsqu'il fait la cour et défend son territoire avec un *ouic-ouic-ouic* ou *tiou-tiou*. Il tambourine aussi. Le cri du Pic mineur est *pik* ou un crépitement; lorsqu'il fait la cour, c'est un faible crépitement sec et un tambourinage.

Avec les Passereaux, les chants deviennent plus compliqués. Les corneilles, qui peuvent imiter le rire et quelques mots, lorsqu'elles font la cour, émettent une succession rapide de notes aiguës qu'on dit ressembler à un grincement de dents. Tout le monde reconnaît leur *cââ-cââ-cââ*, mais elles disent aussi *orr-orr, ah-ah, gnââ-gnââ, caa-waa-waa-caa-waa-waa, niva-niva, ha-ha-ha* et *tchick.* Les petits disent *car-car-car.*

Le répertoire du Geai bleu consiste en *djé-djé, tea-cup tea-cup, couidul, couc-couc-couc* et (surprise) comprend un chant faible et doux comme celui du Merle d'Amérique. Le Geai du Canada a aussi un faible chant plaisant lorsqu'il fait la cour mais en d'autres temps, il se contente de 8 ou 10 sifflements, *cla-cla-cla-cla* et *tchuck-tchuck.* On soupçonne les Geais du Canada de faire de l'imitation. Le bruit (techniquement, il s'agit peut-être d'un chant!) du Geai de Steller comprend *shaak-shaak-shaak, cloo-cloo-cloo* et *ka-fi, ka-fi*. Le Casse-noix d'Amérique produit un son qui ressemble à celui d'un chat: *mîck-mîck* et il dit aussi *charr-char-r-r-churr-churr* et *kr-a-a-kar-r-r-aa.* Les partenaires chantent en duo, dont le son a été comparé à celui d'une trompette jouet; ils imitent aussi. Le Geai à gorge blanche a un grand répertoire, totalement horrible: *ca, couai-couai-couai-couai-couai-couai-couai, couiche-couisi-couiche-couisi-*

couiche-couisi-couiche-couisi-couiche-couisi-couiche-couisi-couiche-couisi, tcheck-tcheck et *ker-ouic*. En Floride, ils y ajoutent *tchurr*; dans les Rocheuses, c'est *oui-ak*.

Encore plus haut dans l'échelle d'évolution, la Mésange bicolore dit *piteur-piteur-piteur, pito-pito-pito* et *ya-ya-ya*. La Mésange à tête noire dit *fî-bî* (avec la Mésange minine, cela devient *fî-bî-fî-bé*) et *tchic-a-dî-dî-dî-dî*. (Elles peuvent ajouter jusqu'à dix *dî* après le *tchic-a*, mais quatre est la norme.) Elles émettent aussi un zézaiement aigu qui ressemble à *sip* ou *stip*, un cri *ssi-si-sisi, sizzle-i* (ou *sizzle-ou*), et ce qu'on décrit avec imagination comme «le tintement des grelots d'un traîneau éloigné». Les Mésanges de Gambel sont reconnues pour avoir une voix plus enrouée que celles des Mésanges à tête noire; leur cri ressemble à *tchic-édî-édî-édî-tchay* ou *tchic-é-zî-zî-zî*. Le cri de la Mésange à tête brune est plus zézayé, sifflant et rauque (aussi plus fort) que celui de la Mésange à tête noire. On l'écrit *tchic-a-dir-dir, tchi-tchi-zé-zé, tche-tchit* et *chi-chi*. Il y a beaucoup de désaccords concernant son chant.

Le chant de la Sittelle à poitrine rousse est semblable à celui de la Sittelle à poitrine blanche, mais plus aigu: *yank-yank-yank, it-it*. Le cri du Grimpereau brun est un *sîi* aigu et ténu; son chant est *sî-ti-ouî-tou-ouî*.

Avec le Troglodyte de Bewick, nous tombons dans les vrais chanteurs. Son chant est très beau: il commence haut et rapide et change pour un registre plus bas, suivi de trilles. On l'appelle un haut *tchick-chick, cot-cot-cot* ou un *spi* sec. On décrit le cri du Troglodyte de Caroline par des jacassements, des cliquetis ou des trilles, avec le cri d'alarme *tchîr-p*. Son chant est fort et semblable à celui du Cardinal rouge (certains l'appellent le «Troglodyte moqueur»; d'autres donnent ce nom au Troglodyte de Bewick). La description de son chant est quelque peu imaginative: *tic-a-del, ti-a-del, toui-di-toui-di-toui-di* et *sweet-heart*.

Les chants du Moqueur roux, un peu faibles pendant la parade nuptiale, font penser à ceux du Moqueur polyglotte, mais ils ne comprennent pas autant d'imitation. La plupart des phrases sont répétées deux fois. Son cri est *smaack* et il émet un *chuuurl* profond lorsqu'il nourrit les petits. Le chant du Moqueur de Californie est aussi très beau, avec beaucoup de variantes et un peu d'imitation.

Son cousin le Moqueur chat ventriloque, a un cri miaulé et plusieurs notes, *tchoc, tchatter* et *kak-kak-kak*, en plus de son chant doux et plaisant. Le chant du Moqueur polyglotte est tout à fait extraordinaire. Il répète chaque phrase de trois à six fois et les variations entre individus sont courantes.

Les Muscicapidés ont la réputation, bien méritée, d'être d'excellents chanteurs; les Merles d'Amérique sont les chanteurs les plus matinaux. Leur cri d'alarme est *tut-tut-tut*. La Grive des bois, qui aime se percher très haut au début de la saison et moins haut plus tard, est un très bon chanteur. La Grive solitaire a 150 chansons différentes et est parfois ventriloque.

L'Étourneau sansonnet, qui semble aimer les sons peu mélodieux, a toutefois l'habileté de chanter merveilleusement. Les Moineaux domestiques gazouillent plutôt qu'ils chantent; lorsqu'ils font la cour, ils gazouillent doucement et clairement. Les petits ont aussi un chant et ils peuvent apprendre à chanter; ainsi, on croit que le gazouillage est une évolution et non un défaut.

Certains observateurs décrivent le chant du Carouge à épaulettes comme une plainte nasillarde et aiguë suivie d'un *tchoc*; d'autres citent le *konk-la-rîî* ou le *o-ka-lî*, plus familiers. Le chant de l'Oriole des vergers est plus attrayant, semblable à celui du Goglu ou du Bruant fauve. L'Oriole du Nord lance six ou sept sifflements forts pour annoncer son territoire et un jacassement fort et sec comme cri d'alarme. Le chant de cour du Quiscale bronzé est un sifflement aigu et grinçant.

Plus plaisant, la Paruline à croupion jaune a un «simple jacassement clair», alors que le Tohi à flancs roux chante un *drî-koutiiii*. Le Tangara à tête rouge a un chant qui ressemble à celui du Merle d'Amérique. Le chant du Bruant à gorge blanche, composé de sifflements, commence habituellement par une ou deux notes claires, suivies d'un trémolo de trois notes sur un ton différent. Certains insistent qu'il chante *Où es-tu Frédéric, Frédéric, Frédéric?* Le Bruant hudsonien chante *oui-i-oh-i* et crie *tsî*.

Le Bruant chanteur ridiculise tous ses parents avec sa musique extraordinaire. Elle est gaie et persistante, avec beaucoup de variantes. Le cri est un *tchiff* ou *tchimp*. Son répertoire comprend au moins deux douzaines de chants, commençant tous par trois ou six notes prononcées. Il ouvre souvent avec les quatre premières notes de la cinquième symphonie de Beethoven. Même si les Bruants chanteurs ont chacun leurs propres chants, ils utilisent tous des extraits des chants de leurs voisins. Ils chantent entre eux et leur production ressemble à des chants humains qui ne semblent jamais finir.

Les Cardinals rouges émettent des sifflements clairs et de beaux chants avec plusieurs variantes; on les confond parfois avec le chant du Troglodyte de Caroline. Le chant du Roselin pourpré est rapide et embrouillé, semblable à celui du Roselin familier et du Roselin de Cassin par son gazouillis gai et animé. Le chant du Passerin nonpareil et du Passerin indigo ressemble aussi à celui des Roselins. Le Chardonneret jaune a un chant fort qui ressemble à celui d'un serin; le Chardonneret des pins aussi, bien qu'il soit un peu moins harmonieux.

Le mâle et la femelle du Cardinal à poitrine rose chantent, parfois même (doucement) lorsqu'ils sont dans le nid. Leurs chants, longs, doux et coulants, sont comparés favorablement à celui du Merle d'Amérique. Le Gros-Bec errant émet des gazouillis forts et courts et siffle lorsqu'il fait la cour; le Dickcissel dit (évidemment) *dick-dick-cissel-cissel-cissel*.

Beaucoup de ces mélodies sont faites dans un but précis. Une fois qu'il a réclamé son territoire et attiré une partenaire, le mâle s'apprête à devenir un parent. Ce qu'il fera dans la phase suivante, la construction du nid, dépend de son espèce.

5 NIDIFICATION

LES OISEAUX sont des descendants des reptiles et les ordres que nous connaissons aujourd'hui ont commencé à apparaître pendant l'ère paléogène et l'ère éocène, la première période des mammifères. La construction des nids s'est probablement développée parce que les oiseaux sont devenus des animaux à sang chaud et qu'ils ne pouvaient plus laisser leurs oeufs éclore dans la chaleur de l'environnement. Idéalement, le nid devrait protéger non seulement les oeufs, mais aussi le parent qui couve. Les nids sont généralement aussi discrets que possible, un facteur de survie. Si on considère que le taux de succès moyen est de 20 p. cent (de jeunes qui atteignent la maturité), il est évident que les oiseaux ont de sérieux problèmes.

Pensez au nid comme au berceau des oeufs, une pouponnière de petits oiseaux. Le type de nid qu'un oiseau construit est directement relié au degré d'évolution de son espèce; on croit que les nids et les oiseaux évoluent ensemble. Les premiers nids, au début de l'histoire des oiseaux, étaient probablement des trous dans le sol ou des cavités dans les rochers, les arbres et les racines d'arbres. Encore aujourd'hui certains oiseaux choisissent simplement un *endroit* sans le modifier; la femelle pond ses oeufs et ne peut qu'espérer. L'Engoulevent bois-pourri en est un exemple: la femelle place simplement ses deux oeufs sur un lit de feuilles de chêne au sol. Le Pluvier kildir dépose ses oeufs sur un lit de copeaux de bois, de gazon, de gravier ou de cendre ainsi que sur les toits de gravier, un site également choisi par l'Engoulevent d'Amérique et qui est beaucoup plus sécuritaire que le sol. Cependant, la plupart des nids protègent les oeufs et même les oisillons.

Lorsque certains oiseaux ont commencé à construire leur nid plus haut, il devint nécessaire de trouver des matériaux, probablement des brindilles et des branches, pour faire une plate-forme. Les moucherolles et les merles utilisent une plate-forme encore aujourd'hui. Enfin, certains oiseaux, spécialement les Passereaux très évolués, construisent des nids complexes en forme de coupe.

Tout comme on retrouve des oiseaux relativement primitifs comme les huarts, en plus de toute une variété d'oiseaux de plus en plus évolués, le développement des nids d'oiseaux s'étend lui aussi du simple gravier au merveilleux nid suspendu du Tisserin d'Afrique.

Le meilleur temps pour trouver et identifier des nids est l'hiver. Vous ne dérangez aucun oiseau et les nids sont plus faciles à repérer lorsque les feuilles sont tombées et la végétation au sol ne pousse pas. Vous n'avez pas non plus à organiser toute une expédition pour trouver des nids. Je suis toujours surprise par le nombre de nids que je peux voir de ma voiture. Certains oiseaux construisent leur nid près des routes, des autoroutes même, et plusieurs s'installent dans les parcs des villes. Partout où vous voyez un bouquet d'arbres matures, si petit soit-il, vous trouverez des nids. Si les arbres sont assez grands, vous verrez d'énormes nids. Les nids des oiseaux qui préfèrent les ronces sont plus difficiles à repérer, même lorsque les feuilles sont tombées.

L'escalade et la randonnée à cheval sont de bons moyens pour voir toutes sortes de nids. Certains nids sont plus faciles à reconnaître que d'autres; il est difficile d'identifier une dépression grattée dans le sol, qui suffit à certaines espèces. Quelques oiseaux un peu plus évolués garnissent de tels trous; d'autres utilisent des monticules naturels ou des touffes de végétation. Les trous dans le sol et dans le tronc des arbres peuvent aussi servir d'emplacement pour un nid. Cependant, le nid en forme de coupe est le plus classique et on le retrouve sur le sol, flottant sur un radeau ou calé dans le creux d'une branche. Il peut être recouvert ou fermé, suspendu ou retenu avec de la boue.

Certains oiseaux, comme les canards, nichent en communauté (dans un même endroit avec d'autres espèces), d'autres nichent en colonies et d'autres encore acceptent les nichoirs. Les Hirondelles noires nichent en colonies et sont tout à fait consentantes pour utiliser les nichoirs. Le Tisserin d'Afrique mentionné plus haut construit des complexes comptant jusqu'à une centaine d'unités, qui appartiennent au groupe. Les anis, dans les régions tropicales des Amériques, construisent des nids en forme de bassin, et s'en serviront comme résidences communautaires; plusieurs femelles déposent leurs oeufs dans le nid et toute la communauté prend soin de la couvée qui, à son tour, restera pour aider avec la prochaine couvée. À l'exception des oiseaux aquatiques, les oiseaux nichent généralement dans leur territoire d'alimentation. L'emplacement du nid est un indice majeur pour l'identification de son propriétaire.

Le choix de l'emplacement et la construction du nid sont dirigés par la femelle. Chez les espèces polygames, la femelle fait tout. Les oiseaux monogames se partagent souvent les tâches. Chaque espèce construit un genre distinct de nid, et les matériaux utilisés varient considérablement. Dans l'ensemble, les oiseaux utilisent les matériaux déjà disponibles sur place. Pour plus de protection, certains oiseaux nichent près d'une espèce animale plus agressive. Certains des oiseaux qui nichent dans des cavités se servent de leur site de nidification comme abri et perchoir.

L'on croit que le type de nid construit par une espèce est intrinsèque; toutefois, il semble que l'apprentissage d'une certaine technique ait lieu puisque les constructeurs apprentis sont moins habiles que les plus expérimentés. Plus l'oiseau possède la technique, plus il peut construire des nids solides en moins de temps. Les nids peuvent prendre une journée ou des semaines à construire, selon la durée de la saison de reproduction. Certains oiseaux continuent à travailler sur leur nid une fois qu'ils y sont installés. Le temps requis pour la construction d'un nid varie aussi avec la température et l'endroit; par exemple, les oiseaux de l'Arctique passent moins de temps sur les corvées que les oiseaux des climats tempérés.

Les oiseaux qui ramassent la nourriture dans leurs serres ramassent et transportent aussi les matériaux de construction de cette façon; ceux qui utilisent leur bec pour ramasser la nourriture font de même avec les matériaux de construction du nid. Les matériaux utilisés pour le nid sont généralement des plantes, mais la boue, les poils d'animaux et les plumes sont aussi utilisés. Les colibris et les parulines utilisent des toiles d'araignée pour renforcer leur nid. Certains oiseaux y incorporent du cellophane, des mouchoirs de papier, du fil et du papier journal. Les buses décorent leur nid de feuilles vertes qu'elles remplacent régulièrement. Les garnitures, lorsqu'il y en a, sont souvent douces et chaudes.

Les matériaux peuvent parfois blesser les oisillons. Il vaut mieux ne pas offrir des matériaux pour le nid tels qu'un long morceau de corde ou de fil qui pourrait étrangler l'oiseau. Nous avons assisté à une telle catastrophe l'été dernier dans notre grange. Un couple d'Hirondelles des granges a utilisé des poils de la crinière d'un cheval dans son nid et un matin, nous avons trouvé un oisillon mort: son pied était resté pris et il pendait du nid.

En Amérique du Nord, les Orioles du Nord, les Mésanges buissonnières et les pics construisent les nids les plus compliqués. Dans d'autres coins du monde, cependant, on retrouve des nids encore plus complexes. Les oiseaux s'adaptent facilement; par exemple, ils construisent des nids plus profonds dans les endroits exposés aux vents forts. Certains nids sont si petits que l'oiseau qui couve le cache; d'autres sont si gros que l'oiseau disparaît à l'intérieur. Le record du plus gros nid en Amérique du Nord revient à une famille de Pygargues à tête blanche, à Vermillion (Ohio), dont le nid avait 3,65 m de profond, 2,6 m de diamètre et pesait 2 tonnes et à un couple en Floride qui utilisait un nid de 6 m de profond et 2,9 m de diamètre.

La plupart des passerins construisent un nouveau nid pour chaque couvée, mais les troglodytes, les buses, les pygargues et les chouettes utilisent le même nid pendant des années; les merles-bleus utilisent le même nichoir année après année. Certains oiseaux qui nichent dans les cavités d'arbre ne creusent pas leur nid mais utilisent plutôt ce qui existe déjà. Certains utilisent des trous abandonnés par des pics; les buses et les Grands-ducs d'Amérique s'emparent du nid abandonné d'une pygargue, d'une autre buse ou d'un Balbuzard. Il arrive parfois que les oiseaux utilisent un vieux nid comme abri pour l'hiver. Le Merle d'Amérique peut utiliser un vieux nid comme fondation d'un nouveau. De temps en temps, jusqu'à trois Martinets ramoneurs ou trois Hirondelles à front blanc utilisent le même nid; certains observateurs se demandent s'il ne s'agit pas d'un genre d'apprentissage.

Cas particuliers

Voici un aperçu des nids de certains oiseaux, de l'endroit où vous les trouverez et de la matière dont ils sont faits. Nous commencerons avec les oiseaux les plus primitifs, les huarts, qui ressemblent à leurs ancêtres éloignés, et nous nous dirigerons vers les plus évolués, les Passereaux ou oiseaux percheurs.

Les nids des huarts se retrouvent généralement sur les petites îles boisées, dans les lacs d'eau douce, dans le nord des États-Unis, au Canada et en Alaska. Ils sont faits de jonc, d'herbe, de brindilles et de roseaux lâchement retenus et peuvent être sur le sol nu, sur une tourbière flottante, sur une maison de rat musqué ou dans la végétation du littoral. Le nid de la Bernache du Canada est simplement une dépression garnie de brindilles, d'herbe, de roseaux et de duvet. La femelle le construit sur le sol près de l'eau.

Les nids de Canards colverts sont aussi habituellement sur le sol près de l'eau, dans la forêt ou les buissons. On les retrouve quelquefois dans l'herbe longue ou les champs de luzerne. Le diamètre intérieur de la dépression dans un sol sec est de 20 cm et le nid est fait d'herbe, de feuilles et de roseaux. La femelle choisit l'emplacement et construit le nid seule. Elle commence à pondre sur le sol nu et ramasse graduellement des matériaux, construisant le nid alors qu'elle couve; elle place du duvet sur les oeufs lorsqu'elle doit s'absenter. Le Canard branchu, qui accepte les nichoirs, niche dans les cavités d'arbre de 1 à 18 m de haut, dans les marais broussailleux, les marécages ou près de l'eau. Il garnit la cavité de copeaux de bois et de duvet.

L'Urubu noir ne se donne même pas la peine de construire un nid; les oeufs sont déposés dans le creux d'une souche, dans un fourré et dans une grotte. L'Urubu à tête rouge pond ses oeufs sur le sol, dans le gravier ou dans le sable. Le couple de Pygargues à tête blanche construit son nid ensemble, dans la fourche d'un grand arbre. Il s'agit d'un énorme amas de brindilles et de branches garni de gazon, de mousse et d'herbe. Ils peuvent utiliser le même pendant des années et ils continuent d'ajouter des matériaux jusqu'à ce qu'il

Les oiseaux du sud-ouest des États-Unis creusent leur nid dans des cactus. Après un certain temps, la plante forme un tissu sur la cicatrice. Les Apaches utilisaient ce tissu bulbeux comme récipient d'eau; ils l'utilisent maintenant comme nichoir.

tombe finalement à cause de son poids. Au départ, il a 60 cm de haut et 1,5 m de diamètre.

La femelle du Busard Saint-Martin construit son nid sur ou près du sol, dans les marais d'eau douce ou salée ou tout autre endroit humide. Le mâle rassemble les matériaux, des brindilles, de la paille et de l'herbe sèche, pour la structure de 5 à 45 cm de haut. Les Balbuzards nichent en colonies éparses près de l'eau douce ou salée. Les nids peuvent être près du sol ou jusqu'à 18 m de haut, dans les arbres ou les poteaux. Souvent utilisés pendant des années, ils sont faits de brindilles, petites et grandes, et ils sont garnis d'écorce, de gazon et d'herbe. Les faucons, qui acceptent les nichoirs, nichent aussi dans des cavités, utilisant les trous dans les troncs d'arbre de 4,5 à 9 m du sol avec un diamètre de 5 à 10 cm. Ils ne garnissent pas la cavité. Les pics et les écureuils se disputent les trous avec eux.

Les deux parents du Colin de Virginie construisent le nid dans une dépression dans l'herbe, qu'ils garnissent de brins d'herbe. Ils tissent de l'herbe pour former une arche au-dessus du nid. La Gélinotte huppée niche sous une bûche ou au pied d'un arbre dans un creux qu'elle garnit de feuilles et d'aiguilles de pin. Le Faisan de chasse niche sur le sol dans un creux naturel qu'il garnit d'herbe, de gazon et de feuilles. Le Dindon sauvage niche dans une dépression du sol sur des feuilles mortes et un sol sec. Le Chevalier branlequeue dépose ses oeufs, habituellement près de l'eau, sur le sol dans une dépression en forme de soucoupe.

La Bécasse d'Amérique, que l'on retrouve dans les forêts humides, niche à 90 m de son territoire de chant (l'endroit au-dessus duquel le mâle exécute son chant en vol pour séduire la femelle) dans une dépression non dissimulée, bordée de brindilles et garnie d'aiguilles de pin. Le Goéland argenté niche sur le sol dans les endroits sablonneux ouverts. Les deux parents creusent un trou peu profond et construisent un nid, d'un diamètre intérieur de 20 à 25 cm, avec de l'herbe, des algues, des écailles et des plumes.

Les colombes et les pigeons ne sont pas de bons constructeurs de nid ni de bons gardiens. Les Pigeons bisets nichent en colonies ou seuls, sur les corniches, les ponts et les granges. Le nid consiste en une mince plate-forme peu profonde, faite négligemment de brindilles, d'herbe, de paille et de débris de toutes sortes. Le diamètre extérieur est de 20 cm. La femelle de la Tourterelle triste construit une plate-forme fragile avec des brindilles, que le mâle rassemble, sur une branche horizontale située de 1 à 6 m du sol. Il peut être garni de brindilles, d'herbe et d'aiguilles de pin. Quelquefois, la femelle dépose simplement ses oeufs sur le sol; elle utilise parfois le vieux nid d'un Merle d'Amérique, d'un quiscale ou d'un Geai bleu. Peu importe le nid, la Tourterelle triste ne le nettoie pas et il devient vite en désordre.

Les Colombes à queue noire sont encore plus malpropres, surtout lorsqu'elles utilisent un vieux nid de Tourterelle triste. Elles construisent parfois une fondation lâche avec des brindilles ou des aiguilles de pin, garnie de radicelles et d'herbe et située dans une vigne ou sur une souche, un poteau de clôture ou une branche horizontale. D'autres nichent sur le sol dans une légère dépression, parfois parsemée d'herbe. Peu importe ce qu'elles utilisent, au sol ou à 8 m dans les airs, le même nid sert pour toutes les couvées d'une saison.

La Tourterelle tigrine construit une plate-forme peu profonde avec des brindilles dans la fourche horizontale d'un arbre, habituellement un arbre à feuilles caduques. La Colombe inca passe environ trois jours à construire un nid en forme de coupe, peu profond et lâche, avec des brindilles, de l'herbe, des radicelles et des fibres de plante. Le mâle ramasse les matériaux pour le nid et les donne à la femelle qui les met en place. Le nid n'est pas garni et peut être situé de 1,5 à 8 m du sol, dans un buisson, une vigne ou dans une fourche horizontale d'un arbre. La femelle façonne l'intérieur du nid avec son corps.

Les Effraies des clochers ne construisent pas de nid; la femelle pond ses oeufs sur les déchets d'hiboux (débordant de matières fécales renfermées) dans les cavités, habituellement dans les granges, les silos et les clochers. Les Petits-ducs maculés sont moins consistants. Ils nichent dans des cavités aussi et pondent leurs oeufs sur des feuilles, des décombres ou ce qui se trouve dans la cavité. Ils acceptent les nichoirs dans les arbres, surtout dans les vergers.

Les Martinets ramoneurs ont un faible pour les endroits sombres, surtout les cheminées. Le nid, une demi-soucoupe mince et fragile de 10 cm de diamètre rattachée à l'intérieur d'une structure, est fait de brindilles attrapées au vol ou cassées dans les arbres par les deux parents. Les brindilles sont retenues ensemble par une sécrétion visqueuse de la bouche des oiseaux, communément appelée «salive», mais qui n'en est pas, évidemment. Elle durcit et colle les brindilles ensemble et attache le nid au mur. Les Martinets ramoneurs utilisent des vieux nids réparés. La femelle met la touche finale au nid lorsqu'elle couve. Le Martinet de Vaux, qui anciennement nichait seulement près du pied d'un arbre creux, utilise maintenant les cheminées également. Le Martinet à gorge blanche niche dans les falaises sèches; le Martinet sombre niche à flanc de montagne. Ils réussissent si bien à choisir des emplacements difficiles à atteindre que le premier nid découvert a été rapporté en 1901.

Les colibris, qui construisent de beaux nids, utilisent également une sorte de salive pour attacher leur nid à l'emplacement choisi. Le nid du Colibri à gorge rubis a 2,5 cm de profondeur et de diamètre (la dimension d'une oeillère) et est construit de 1,5 à 15 m au-dessus du sol, sur une branche d'un arbre dans un verger ou dans la forêt, souvent au-dessus de l'eau. Le nid est fait d'écales de bourgeons recouvertes de lichen et garni de duvet de plantes, le tout retenu ensemble par des toiles d'araignée ou de chenille. Les vieux nids sont remplacés la saison suivante. D'autres colibris construisent des nids similaires.

Hibou avec ses oisillons dans un nid d'aigles.

Le Colibri d'Allen choisit habituellement une hauteur de 3,5 m pour construire son nid; mais on a trouvé des nids à des hauteurs allant de 30 cm à 28 m. Le Colibri lucifer choisit un emplacement dans un arbuste, jusqu'à 2 m du sol, pour son nid de duvet végétal lié avec des toiles d'araignée et décoré avec du lichen. Le Colibri de Costa utilise des lambeaux de feuilles mortes, de l'écorce, du lichen et du duvet végétal pour son nid, qui est relié par des toiles d'araignée et décoré de lichen et situé sur une branche, de 30 cm à 3 m du sol. Le Colibri à gorge bleue attache son nid, fait de duvet végétal et de mousse et retenu par des toiles d'araignée, à la tige d'une fleur ou une autre tige fine sur le bord d'un ruisseau.

L'Ariane à couronne violette suspend son nid de fibre végétale cotonneuse, décoré de lichen, sur une branche de sycomore. Le Colibri d'Anna utilise du lichen et de la mousse, garni de plumes ou de fourrure, dans son nid qui est souvent situé sur une branche près ou au-dessus de l'eau, de 60 cm à 9 m du sol. La femelle continue la construction pendant qu'elle couve les oeufs. Le Colibri à gorge noire préfère les endroits près de l'eau lui aussi, de 1 à 9 m du sol dans un saule, un sycomore ou (dans les pays arides) un cotonnier. Le nid, habituellement fait de duvet végétal sans garniture de lichen, ressemble à une petite éponge jaune. Les Colibris roux nichent parfois tout près les uns des autres, de 60 cm à 6 m du sol. Ils construisent quelquefois un nouveau nid sur un vieux.

Le Martin-pêcheur d'Amérique niche dans un terrier creusé dans un talus près de l'eau. Il creuse pendant deux ou trois semaines. Une caractéristique intéressante du terrier est son tunnel d'entrée de 9 ou 10 cm de diamètre. Le terrier en soit peut avoir 2 m de long.

Le Pic flamboyant, qui niche aussi dans les cavités, accepte les nichoirs montés sur un poteau et faisant face au sud. Normalement, il niche de 60 cm à 27 m du sol dans une cavité de 17 à 20 cm de diamètre avec une entrée de 7,5 cm de diamètre. Pour l'attirer dans un nichoir, placez les copeaux de bois, matériau qu'il choisit dans des conditions naturelles, dans le fond du nichoir.

Les Pics à ventre roux construisent un nid en forme de gourde, de 30 à 45 cm de profond, dans un arbre mort, entre 15 et 40 m de hauteur. Il leur faut de une semaine à dix jours pour creuser l'intérieur à leur goût. Le trou d'entrée a un diamètre de 4,5 à 5 cm.

Les Pics mineurs construisent un nid semblable, de 20 à 30 cm de profond, avec un trou d'entrée de 3 cm. Ils nichent à une hauteur variant entre 1,5 à 9 m.

Les ornithologues croient que la femelle du Pic chevelu choisit l'emplacement du nid, habituellement un nouveau chaque saison, mais que les deux parents creusent. Il leur faut de une à trois semaines pour façonner le nid en forme de gourde, qui est situé entre 1,5 et 18 m de haut et qui a 30 cm de profond, avec un trou d'entrée de 4,7 sur 3,8 cm. La femelle pond ses oeufs sur des copeaux de bois.

Le Tyran tritri construit son nid volumineux sur une branche d'arbre, éloigné du tronc, avec des herbes et du gazon, garni de gazon fin. Il a 14 cm de diamètre sur 8,25 cm de profondeur. Le Moucherolle phébi préfère les corniches abritées des ponts ou des édifices comme emplacement pour le nid. La femelle construit un nid circulaire ou semi-circulaire en 3 à 13 jours. Le nid est gros, 11,5 cm de diamètre sur 10 cm de hauteur, et bien fait avec des herbes, du gazon et de la boue; il est recouvert de mousse et garni de gazon fin et de poils.

Les hirondelles peuvent utiliser le nid de l'année précédente, un nid profond en forme de coupe garni de gazon et de plumes. Les Hirondelles des granges nichent souvent en colonies autour ou dans les édifices, sous les ponts et dans les caniveaux. (Anciennement, elles utilisaient les grottes dans les falaises.) Elles attachent les structures de boue et de paille aux poutres et les garnissent de plumes, de préférence blanches. Le dessus du nid est semi-circulaire; la construction a 13 cm de diamètre, et est finie en forme de cône. Il leur faut de six à huit jours pour construire un nouveau nid, et moins de temps pour en réparer un vieux.

Les Hirondelles bicolores utilisent un trou dans un arbre ou un nichoir situé entre 1,5 à 3 m du sol avec un trou d'entrée de 3,8 cm. Il faut à la femelle jusqu'à deux semaines (certains disent jusqu'à un mois) pour construire le nid d'herbe sèche garni de plumes; le mâle rassemble une partie des matériaux. Les Hirondelles bicolores nichent seuls ou en groupes. Les Hirondelles noires nichent en grandes colonies, de 4,5 à 6 m au-dessus du sol. Les deux parents construisent le nid avec du gazon, des brindilles, des écorces, du papier, des feuilles et des ficelles.

Passons maintenant aux Corvidés. Les Grands Corbeaux nichent seuls; ils construisent leur large structure dans les conifères, dans les falaises ou sur une corniche, souvent par-dessus le nid de l'année précédente. Leur nid très creux est fait de branches, de brindilles et de vigne, bien garni de poils, de mousse, de gazon et de morceaux d'écorce. Il a 15 cm de profond et de 60 à 120 cm de diamètre.

Les corneilles construisent aussi de grands nids. En forme de coupe et faits de brindilles, ils sont garnis d'écorce, de fibre végétale et d'algues. Ils sont généralement à 9 m du sol, mais la hauteur peut varier de 3 à 30 m. Habituellement situés dans un pin ou un chêne près d'une clairière, les nids ont 18 cm de hauteur et environ 60 cm de diamètre. Les corneilles sont parfois délogées par un Grand-duc d'Amérique; il peut aussi arriver qu'un Hibou moyen-duc utilise le nid abandonné d'une corneille.

Les Geais bleus construisent des nids grossiers et négligés, en forme de coupe aux bords inégaux, caché dans une fourche ou sur une branche, habituellement entre 3 et 6 m du sol, même si la hauteur peut varier entre 1,5 et 15 m. Ils préfèrent les conifères. Les deux parents bâtissent le nid avec des brindilles épineuses, des radicelles, de l'écorce, de la mousse, des feuilles, du papier, des lambeaux de chiffon et des ficelles, et le garnissent d'écorce, de gazon, de feuilles et de plumes. Les nids ont de 18 à 20 cm de diamètre et de 10 à 12 cm de hauteur. Les deux ramassent des matériaux sur le sol, mais le mâle casse aussi des brindilles dans les arbres. La construction prend environ cinq jours et la femelle en fait plus que le mâle.

Le Geai de Steller construit un grand nid épais, en forme de bol, avec des brindilles, de la boue et du gazon, garni de radicelles, d'aiguilles de pin et de gazon, sur une plate-forme de vieilles feuilles dans la fourche d'un arbre, entre 60 cm et 30 m du sol, mais le plus souvent entre 2,5 et 7,5 m. Les Geais à gorge blanche peuvent s'établir en colonies éparses ou seuls. Le couple travaille ensemble pour former les brindilles de chêne en coupe épaisse garnie de radicelles. Il leur faut environ cinq jours et ils préfèrent un emplacement moins élevé que les Geais bleus, soit de 1 à 3,5 m. En Floride, les nids sont petits et bien faits et les parois peuvent contenir des tiges et des feuilles en plus de brindilles; l'intérieur est garni de laine, de mousse et de plumes en plus des radicelles. Dans l'ouest, les Geais à gorge blanche construisent des nids plus volumineux et ajoutent du crin de cheval à l'intérieur.

Les Geais du Canada nichent tôt, de la fin février à avril, et construisent des nids volumineux avec des parois hautes; ils sont faits de brindilles, de gazon et d'écorce et sont garnis de mousse, de lichen, de duvet végétal et de plumes. Les nids sont retenus par des cocons et des toiles d'araignée et sont habituellement situés entre 1 et 3 m du sol, même si on en a trouvé à aussi haut que 9 m. Les nids des Casse-noix d'Amérique se retrouvent sous une branche de conifère et ressemblent à ceux des geais.

Les Mésanges bicolores nichent dans des cavités et elles aiment un trou d'entrée de 3,8 cm, de 90 cm à 9 m du sol, même si on en retrouve aussi haut que 30 m. Les deux membres du couple construisent un nid en forme de coupe avec des feuilles, de l'écorce, de la mousse, du gazon, du coton, de la laine, des fils, du tissu, des plumes, de la fourrure et des vieilles peaux de reptiles. Ils arrachent même les poils des animaux vivants pour leur nid. Ils acceptent également les nichoirs.

La Mésange bicolore accepte les nichoirs.

Les Mésanges à tête noire partagent le creusage de la cavité (les mâles et les femelles transportent les copeaux de bois à l'extérieur du site et les laissent tomber), mais la femelle fait elle-même le nid avec de la mousse, des fibres végétales, des fougères, des copeaux de bois, des plumes, des cocons, des poils, de la fourrure et de la laine. Le trou d'entrée du nid mesure 2,5 cm, et il est situé entre 1 et 4,5 m du sol. Quelquefois, pour des raisons inconnues, elles abandonnent leur nid pour aller en construire un autre ailleurs. Elles adorent particulièrement les chicots de bouleau, qui se percent et se creusent facilement; l'écorce de papier retient les filaments de bois pourri ensemble. Elles acceptent les nichoirs.

La Mésange minime aime les cavités situées entre 2 et 4,5 m du sol. Le nid est construit sur une fondation de mousse, de gazon et d'écorce et il est garni de duvet végétal, de plumes, de poils et de fourrure. Un côté, plus haut que les autres, sert de rabat qui est tiré par-dessus les oeufs lorsque le parent s'absente du nid. La Mésange de Gambel niche dans les forêts à feuillage persistant, dans une cavité entre 30 cm et 4,5 m du sol. Le trou d'entrée a 2,5 cm de diamètre et la cavité a 23 cm de profond. Le nid est fabriqué de gazon, de mousse, de duvet végétal, de radicelles, de poils d'écureuil et de lapin, de poils de vache ou de cerf et de laine de mouton. La Mésange à tête brune niche dans les cavités ou les souches de 15 cm de profond, de 30 cm à 3 m au-dessus du sol; leur nid est fait de mousse, de lichen, d'écorce et de duvet de fougère, et il est garni de plumes ou de fourrure.

Le Grimpereau brun niche sous un morceau d'écorce détaché, entre 1,5 et 4,5 m de haut. Le mâle rassemble les matériaux et la femelle construit le nid; elle y met jusqu'à un mois. La forme du nid, construit sur une fondation de brindilles, de feuilles et d'écorce et garni de gazon et de mousse, s'adapte à l'espace. Le centre est bien formé et les côtés ont des pointes.

La Sittelle à poitrine blanche niche dans un trou de 15 cm de profond, situé entre 60 cm et 18 m du sol. Elle accepte les nichoirs. La femelle construit le nid avec des écorces détachées, du gazon, des brindilles, des radicelles et des plumes sur le dessus, et elle le garnit de poils parfois arrachés sur des animaux vivants. Le mâle apporte les matériaux et nourrit la femelle. La Sittelle à poitrine rousse accepte elle aussi les nichoirs. Elle a besoin d'un trou d'entrée de 2,5 cm de diamètre (dont elle enduit le tour de résine pour une raison quelconque). Le nid est fait de copeaux de bois, parfois avec des plumes, du gazon, des radicelles et de l'écorce en plus.

Le nom indien original du troglodyte signifiait «gros bruit d'un petit». Les bruyants Troglodytes familiers nichent dans des cavités, que ce soit dans un arbre, un nichoir ou ailleurs. Le mâle nettoie l'emplacement du nid (détruisant parfois le nid d'un autre oiseau) et fabrique une fondation avec des brindilles. La femelle façonne une coupe avec du gazon, des radicelles, des plumes, des poils et divers déchets. Comme nous l'avons mentionné dans le chapitre 3, le mâle du Troglodyte des forêts construit plusieurs nids qu'il montre à la femelle; cette dernière choisit celui qu'elle préfère. La femelle garnit le nid de fibres végétales douces avant d'y pondre ses oeufs.

Les Troglodytes de Caroline choisissent une fissure près du sol, habituellement à moins de 3 m de haut, même si on a rapporté des nids à 12 m. Le nid est une structure volumineuse de brindilles, de gazon et de feuilles, garnie de matériaux plus fins. Il a 15 cm de profond et est couvert, avec une entrée sur le côté, lorsqu'il est construit dans un endroit dégagé. Le Troglodyte de Bewick utilise une crevasse, généralement à 2 m de haut, entre 1 et 7,5 m du sol. Dans une large structure faite principalement de déchets et d'écorce, le Troglodyte de Bewick façonne une coupe compacte, dure et profonde. Le processus prend 10 jours.

Les Moqueurs roux nichent sur le sol et jusqu'à 4 m de haut, de préférence dans les broussailles. Sur une fondation lâche de brindilles épineuses, les deux parents construisent une large coupe de feuilles sèches, doublée d'une coupe interne de gazon et de brindilles, qui est ensuite garnie de radicelles. Le nid a 30 cm de diamètre et 9,5 cm de hauteur. Il leur faut de cinq à sept jours pour le construire.

Le Moqueur chat aime les emplacements similaires, habituellement à moins de 3 m du sol (on a rapporté des nids situés entre 6 et 18 m). Leur nid discret, construit par les deux parents en cinq à huit jours, est profond, de bonne grandeur, d'aspect décharné, en forme de coupe; il est fait de brindilles, de vignes, d'écorce de thuya, d'herbe, de feuilles et de gazon et est garni de radicelles.

(Certains experts affirment que le mâle aide à peine à rassembler les matériaux et que la femelle se charge de toute la construction.) Le nid ressemble beaucoup à celui du Moqueur polyglotte, mais le Moqueur chat utilise moins de matériaux manufacturés. Il peut utiliser le même nid pour la deuxième et la troisième couvées.

Les nids des Moqueurs polyglottes sont généralement situés entre 1 et 3 m du sol, dans un buisson ou un arbuste, mais on a trouvé des nids entre 30 cm et 9 m au-dessus du sol. Le nid est volumineux; l'extérieur est composé de brindilles épineuses et l'intérieur de feuilles, d'herbe, d'écorce, de radicelles, de cordes, de lambeaux de chiffon, de coton, de papier, de mousse et de poils et il est garni de gazon fin, de duvet végétal, de crin de cheval et de radicelles. Les deux parents construisent, en un à quatre jours, le nid qui a 18 cm de diamètre et 11,5 cm de haut. Généralement, le mâle rassemble le gros des matériaux et la femelle s'occupe davantage de la construction.

Les Merles d'Amérique nichent pratiquement n'importe où, souvent dans un endroit qui dérange leurs voisins humains. Le nid en forme de coupe est fait de brindilles collées avec de la boue et il est garni de gazon fin ou, de préférence, de poils d'animaux domestiques. Il se trouve habituellement à entre 1,5 et 9 m du sol, souvent dans les résineux, car les merles nichent tôt, alors que les feuilles ne sont pas encore sorties. Il leur faut de deux à six jours (on a rapporté une période de 20 jours) pour construire le nid qui a un diamètre intérieur de 10 cm. Le mâle s'emploie tour à tour à aider la femelle dans la construction et à chanter pour défendre son territoire. La femelle adoucit la garniture avec sa poitrine.

La Grive des bois construit un nid qui ressemble à celui du Merle d'Amérique. C'est aussi une large coupe faite de gazon, de feuilles, d'herbe et de mousse, retenue par des feuilles pourries ou de la boue et garnie de gazon fin ou de radicelles. On retrouve ce nid normalement dans la fourche d'un arbre, entre 1 et 4 m du sol, mais on en a observé juchés aussi haut que 15 m.

Il est intéressant de constater que la Grive des bois recouvre l'extérieur du nid avec quelque chose de blanc.

La Grive solitaire construit son nid près du sol dans des bois humides et frais. Le nid compact en forme de coupe se situe entre 1 à 3 m du sol. Il a une apparence extérieure volumineuse et est fait de brindilles, de gazon, d'écorce, d'herbe, de fougère et de mousse et il est garni d'aiguilles de pin, de radicelles ou de poils de hérisson. Le Merle-bleu de l'Est, qui niche dans les cavités, fabrique un nid lâche avec du gazon. La femelle prend quatre ou cinq jours à construire le nid. Le diamètre extérieur varie; sa hauteur est habituellement de 5 cm.

Le Jaseur des cèdres s'installe sur une branche horizontale, entre 1 et 15 m du sol. Son nid lâche est fait de gazon, de brindilles et de corde et est garni de radicelles et de gazon fin. Les deux parents participent à la construction, qui prend de cinq à sept jours. Le nid a un diamètre de 11 à 15 cm et une hauteur de 9 à 12 cm. Les pies-grièches nichent dans des ronces épineuses.

Les Étourneaux sansonnets nichent sur les édifices ou dans les arbres, entre 3 et 9 m au-dessus du sol; cependant, on a trouvé des nids entre 60 cm et 18 m de hauteur. Ils nichent dans des cavités. Le mâle arrive sur les lieux en premier, enlève ce qui se trouve dans la cavité et apporte des feuilles mortes, de l'écorce, de la mousse, du lichen, des feuilles vertes et des fleurs d'arbre à l'endroit choisi. La femelle arrive ensuite, elle jette tout ce qu'il a apporté et reconstruit un nid à son goût en quelques jours, principalement avec du gazon, et peut-être de l'herbe, des feuilles et du tissu. Elle le garnit de gazon fin et de plumes. Certains observateurs ont rapporté qu'il était construit négligemment et mal entretenu. (Leur mauvaise réputation les suit partout.) Dans tous les cas, elle construit un nouveau nid pour chaque couvée. Les Étourneaux sansonnets nichent en colonies ou seuls.

La femelle du Viréo aux yeux rouges est reconnue pour construire de très beaux nids. En quatre ou cinq jours, elle choisit un emplacement, rassemble les matériaux et construit un nid au diamètre intérieur de 5 cm, fait d'écorce, de gazon, d'enveloppes d'oeufs d'araignée, et garni de duvet végétal. La Paruline à croupion jaune construit son nid dans une épinette ou un sapin, entre 1,5 et 9 m du sol. Le mâle apporte un peu de matériaux, mais la construction revient à la femelle, qui utilise du gazon sec, de l'herbe et de l'écorce, reliés par des toiles d'araignée et garnis de poils ou de duvet végétal. Il lui faut environ une semaine.

La Paruline masquée niche dans les broussailles d'un champ, sur le sol ou à une hauteur d'environ 60 cm. Fait de gazon et de feuilles et garni de gazon et de poils, le nid a un diamètre intérieur de 3 cm. Certains prétendent que la seule paruline pouvant nicher dans un jardin est la Paruline jaune. Elle aime particulièrement les saules, les aulnes, les rosiers sauvages et les vignes, de préférence à environ 3 m du sol.

Le Moineau domestique niche dans la cavité d'un arbre, dans la crevasse d'un édifice ou ailleurs, habituellement entre 3 et 9 m au-dessus du sol. Le nid ressemble à une grosse balle de gazon, d'herbe et de déchets divers avec une ouverture sur le côté. Il est large, volumineux et construit de manière lâche. Les deux parents construisent (certains observateurs affirment que la femelle construit seule) et garnissent le nid de plumes, de poils ou de corde. Cette partie garnie au centre est assez compacte. La grandeur des nids varie selon l'emplacement. Parfois, comme les troglodytes et les Carouges à épaulettes, ils s'emparent du nid d'une autre espèce, détruisant les oeufs ou les oisillons. Les Moineaux domestiques sont très sociables et on retrouve fréquemment quatre ou cinq nids rapprochés dans un petit arbre. Vrais monogames et plutôt sédentaires, ces casaniers utilisent leur nid comme résidence à l'année.

Les Carouges à épaulettes nichent en société, construisant des colonies éparses comptant de quelques centaines à plusieurs centaines de couples. Même s'ils sont sociables, ils défendent farouchement le territoire de quelques mètres carrés autour du nid en attaquant les intrus. La femelle choisit l'emplacement, peu élevé et près de l'eau. Le nid en forme de coupe est fait de longues pailles, de gazon et de mousse; il est couvert de boue, attaché à la végétation environnante avec des fibres de laiteron et garni de gazon fin. La femelle met de trois à six jours pour rassembler les matériaux et construire. Le nid, habituellement situé entre 1 et 2,5 m du sol, est suspendu le plus souvent dans un arbuste. On a observé certains nids aussi élevés que 9 m; d'autres sont au sol.

La femelle de l'Oriole du Nord choisit le lieu de nidification, la plupart du temps sur une branche surplombant une clairière. Il lui faut cinq ou six jours pour construire le nid suspendu, en forme de gourde de 13 cm. L'enveloppe extérieure est un tissage serré de tiges d'herbe, d'intérieur d'écorce et parfois de corde. Le fond est rempli de duvet végétal ou de poils. La femelle saute dans le nid, en le façonnant avec sa poitrine. Le nid de l'Oriole des vergers ne se balance pas librement. La femelle fabrique un grand nid rond avec un bord fait d'herbe, de fibres et de gazon séché.

Les Quiscales bronzés ont des habitudes de nidification quelque peu coloniales. Ils recherchent les conifères et nichent à une distance de 1 à 9 m du sol. La femelle construit un nid lâche et volumineux qui a un diamètre intérieur de 10 cm, un diamètre extérieur de 18 à 23 cm et une hauteur de 13 à 20 cm. Elle le construit parfois sur le nid d'un Balbuzard. Son nid est bien fait avec des brindilles, du gros gazon et des algues, cimenté avec de la boue et garni de gazon et de plumes. Il faut aux parents jusqu'à six semaines pour rassembler les matériaux, mais la femelle prend environ cinq jours pour construire le nid.

La femelle du Tangara écarlate fabrique un petit nid plat et peu solide sur une branche d'arbre, de préférence un chêne, éloigné du tronc et situé entre 2,5 et 23 m du sol. Le nid est fait de brindilles et de radicelles et il est garni de gazon. Celui du Tangara vermillon est similaire, mais il est habituellement fabriqué de gazon, de radicelles, de feuilles, d'écorce et de mousse et il est garni de gazon fin. La femelle le construit généralement entre 1,5 et 6 m au-dessus du sol, même si on a rapporté des nids aussi élevés que 18 m. Il lui faut environ deux semaines pour terminer la construction. Le Tangara à tête rouge construit un nid fragile de 12,5 cm de diamètre, en forme de soucoupe, avec du gazon, de l'écorce et des brindilles, et le garnit de radicelles et de poils. On peut les retrouver entre 1 et 7,5 m du tronc de l'arbre et entre 1,5 et 9 m du sol.

La femelle du Cardinal rouge construit un nid lâche avec des brindilles, des feuilles, de l'herbe, de l'écorce et du gazon et le garnit de poils, de radicelles et de gazon fin. Elle prend de trois à neuf jours pour le bâtir. Elle choisit l'emplacement, habituellement à environ 2,5 m du sol mais parfois à aussi haut que 9 m. Le mâle apporte les matériaux.

Le nid lâche, en forme de soucoupe, du Cardinal à poitrine rose est fait de brindilles, d'herbe et de gazon. Il est garni de matériaux plus fins et est situé entre 1,5 et 6 m du sol. Les Gros-becs errants sont plutôt sociables lorsqu'ils nichent; ils préfèrent les branches de conifères, situées entre 4,5 et 18 m du sol. Les coupes fragiles et ovales sont fabriquées de brindilles et de mousse. Elles ont un diamètre de 12,5 à 15 cm, une hauteur de 12,5 cm et sont garnies de gazon ou de radicelles.

Le Passerin indigo fabrique de bons nids en forme de coupe avec du gazon sec, des brindilles, des feuilles et des herbes. Il le garnit de gazon fin, de poils, de plumes, et de radicelles, sur une base de feuilles ou de peau de reptiles. Les nids ont entre 8 et 11,5 cm de diamètre et entre 6,5 et 8 cm de haut. Ils sont généralement cachés dans des broussailles ou dans un fourré, entre 1 et 4 m au-dessus du sol. Les Passerins indigo peuvent utiliser le même nid pendant cinq années, le réparant au besoin. Le Passerin nonpareil choisit un emplacement dans le feuillage épais, habituellement entre 1 et 2 m du sol, mais parfois aussi haut que 6 m. La coupe est faite de brindilles, de feuilles, de radicelles, d'écorce, d'herbe et de gazon; elle est retenue par des cocons de chenilles et garnie de gazon fin, de radicelles et de crin de cheval. Son nid ressemble à celui du Passerin indigo, mais il est plus soigné.

Le nid du Dickcissel est construit par la femelle à environ 5 m du sol. Large et volumineux, ce nid est fait d'herbe et de gazon et il est garni de matériaux plus doux. Le Chardonneret jaune choisit des arbustes ou des arbres feuillus, de préférence avec des branches verticales ou une fourche, entre 30 cm et 10 m du sol. Son nid est tissé serré avec du laiteron et une bordure d'écorce, le tout retenu avec des toiles d'araignée. Il utilise parfois des matériaux provenant d'autres nids. La femelle passe quatre ou cinq jours à construire le nid de 7,5 cm de diamètre et 7 cm de hauteur.

Le Roselin pourpré niche entre 1,5 et 18 m au-dessus du sol sur une branche horizontale d'un conifère. La femelle ramasse le gros des matériaux, mais le mâle en ramasse un peu aussi. La femelle construit seule le nid avec des brindilles, de l'herbe, du gazon et de l'écorce et le garnit de gazon fin et de poils. Le Roselin familier niche à peu près n'importe où, y compris sur les grands édifices. Il utilise des brindilles, du gazon et des débris de toutes sortes.

Le Chardonneret des pins construit une soucoupe peu profonde cachée dans le feuillage d'un conifère, entre 2,5 et 9 m du sol. Le nid est fait de brindilles, d'écorce et de mousse, garni d'une épaisse couche de fourrure, de poils, de duvet végétal et de mousse.

La femelle du Tohi à flancs roux construit habituellement, sur le sol ou tout près, un nid volumineux mais ferme avec des feuilles, de l'herbe, des brindilles, des fougères, de la mousse, des radicelles, de l'écorce et du gazon. Elle le garnit de gazon fin, d'aiguilles de pins et de poils. La construction prend environ cinq jours. Le Junco ardoisé (type ardoisé) fabrique un nid volumineux au sol, sous l'herbe ou le gazon, dans une pente. La femelle le construit avec du gazon, des radicelles, de la mousse et des lambeaux d'écorce et le garnit de gazon et de poils de vache ou de cerf. Le Junco ardoisé (Oregon) construit un nid similaire, mais il préfère le placer dans un creux.

Les Bruants familiers nichent dans les arbres, les vignes ou les arbustes, habituellement entre 30 cm et 7,5 m du sol (mais jusqu'à 12 m). Le nid est fait de gazon, d'herbe, de brindilles et de radicelles et il est garni de gazon fin, de crin de cheval et de poils de vache ou de cerf. Les deux parents participent à la construction qui prend trois ou quatre jours. Le nid a 11 cm de diamètre et 5,5 cm de hauteur. Le Bruant des champs niche au niveau du sol et jusqu'à 3 m; il construit un nid en trois à cinq jours avec du gazon, de l'herbe et des radicelles et le garnit de plumes, de gazon et de radicelles. Le Bruant fauve construit son nid au sol ou jusqu'à une hauteur de 4 m; son nid en forme de coupe est fait de gazon, de mousse, d'herbe, d'écorce et de radicelles et il est garni de plumes, de gazon et de radicelles.

Le Bruant chanteur niche au sol ou près du sol, dans un arbuste ou dans les hautes herbes. La femelle construit le nid en forme de coupe avec du gazon, de l'écorce et des feuilles ramassés par les deux parents. Le diamètre intérieur de la coupe, qui prend environ deux jours à construire, est de 6 cm; le diamètre extérieur est assez grand, entre 13 et 23 cm et la hauteur est de 11,5 cm. Elle le garnit de gazon, de poils et de radicelles. Le nid du Bruant à couronne blanche est installé sur le sol. Il est fait de brindilles, de gazon, de feuilles, de radicelles et de mousse et il est garni de fourrure, de poils, de gazon fin, d'écorce et de radicelles. La femelle du Bruant à gorge blanche bâtit une coupe avec du gazon, des brindilles, des feuilles et de la mousse et elle la garnit de gazon, de radicelles et de poils. Le Bruant hudsonien niche dans les fourrés et construit une coupe volumineuse avec du gazon, des radicelles, de l'herbe, de l'écorce et des plumes, qu'il garnit de poils ou de fourrure d'animaux.

POUR ATTIRER LES OISEAUX DANS SON JARDIN

Inviter les oiseaux à nicher dans son jardin ne demande pas beaucoup de travail, mais s'assurer que tous les éléments sont présents dans l'environnement augmente les chances de succès. La meilleure façon d'attirer une variété d'oiseaux est d'inclure des haies d'arbustes dans l'aménagement. En plus de fournir un abri, elles offrent différentes sortes d'aliments naturels. Le chèvrefeuille en est un exemple, tout comme les groseillers, les bleuets sauvages ou cultivés, si vous êtes prêt à les partager. Un carré de mauvaises herbes est très attirant pour les oiseaux, bien qu'il semble peu esthétique aux propriétaires de maison. De fait, un peu de désordre dans l'aménagement d'un jardin en augmente l'attrait pour les oiseaux; un amas de broussailles et un carré de ronces ont beaucoup de valeur à leurs yeux.

Installer 10 cm d'un tuyau de poêle autour du poteau d'un nichoir empêche les ratons laveurs d'y faire des ravages.

Vous pouvez aider les oiseaux activement en plantant des arbres et des buissons qui leur fournissent un site de nidification, un abri et de la nourriture. Vous n'aurez sans aucun doute aucune objection à laisser les oiseaux savourer les graines de conifères. Les tohis, les chardonnerets et les tangaras mangent des graines de pins, tout comme les becs-croisés qui portent bien leur nom. Les roselins aiment les graines d'épinettes; les oiseaux chanteurs et le gibier à plumes apprécient les faînes ainsi que les graines des sapins balsamiers. Le bois dur fournit aussi de la nourriture aux oiseaux: les glands de chêne pour les geais, les moqueurs, les pics et les sittelles; les graines ailées des érables pour les cardinals, les roselins et les Chardonnerets des pins. Les colibris visiteront les fleurs du cognassier pour le nectar. Les oiseaux tels les pics et les grimpereaux seront attirés par les insectes de vos arbres.

Les visites d'oiseaux dans votre jardin peuvent faire des ravages, mais le trèfle et les pissenlits de votre cour peuvent attirer le gibier à plumes. La pelouse elle-même peut être utile aux Quiscales bronzés et aux Étourneaux sansonnets qui chassent les insectes, et aux Merles d'Amérique qui cherchent des vers de terre. De plus, une telle étendue ouverte protège les oiseaux qui se trouvent à la mangeoire ou au bain d'oiseaux parce qu'elle n'offre pas d'abri pour les prédateurs. Différents niveaux de végétation augmentent l'attrait, tout comme le fait de planter des sources de nourriture pour les oiseaux.

Si vous décidez de planter des plantes servant à l'alimentation des oiseaux, il est préférable de les disposer en longues rangées afin de produire plus de bordures; les bordures attirent particulièrement les oiseaux. Les oiseaux raffolent du millet et du tournesol, qui sont faciles à cultiver.

Si vous ajoutez un «coin poussière», une étendue de un mètre carré et de 15 cm de profond avec de la «poussière», faite de quantités égales de sable, de terreau et de cendre tamisée, vous augmenterez la valeur de votre propriété pour le gibier tels les Faisans de chasse et les gélinottes, qui aiment prendre un bain de poussière autant que les poulets. Parmi les oiseaux de jardin courants, seuls les Moineaux domestiques aiment prendre un tel bain.

L'émondage peut créer des fourches dans les buissons et fournir des supports pour les nids des moineaux, des roselins et des parulines. Des accessoires artificiels sont parfois mieux que les conditions naturelles parce qu'ils aident à exclure les ennemis des oiseaux. Créer des cavités en perçant des trous de 5 cm de profond dans le bois, spécialement dans les arbres pourris, attirera les mésanges. Essayez de choisir un endroit à environ 8 cm sous une grosse branche. Une autre technique consiste à couper une branche de 8 cm de diamètre à 15 cm du tronc. La branche pourrira et formera une cavité naturelle.

Certaines des plantes de votre jardin peuvent fournir des matériaux aux oiseaux pour construire leur nid. Je ne recommande pas le chardon ou le laiteron pour le duvet utilisé par les Chardonnerets jaunes; certaines herbes, le mille-feuille, la rue, le thym et spécialement le pyrèthre, plaisent aux oiseaux. Il est intéressant de savoir que ces herbes ont des propriétés insecticides.

Certains oiseaux seront incités à nicher sur votre propriété si vous leur fournissez un nichoir ou une plate-forme. Environ 50 espèces acceptent les nichoirs; de ce nombre, 35 le font régulièrement. Les spécifications concernant les nichoirs, les protections contre les prédateurs, les saillies, les nichoirs multiples, les supports de nichoirs multiples et divers tableaux se retrouvent dans le chapitre «Apprendre le rôle de propriétaire», de mon livre *Comment nourrir et attirer les oiseaux* (éd. Quebecor, 1988).

Les nichoirs multiples, conçus pour les Hirondelles noires, devinrent populaires en Angleterre au cours du XIXe siècle. Plusieurs les appréciaient pour leur apparence impressionnante et pour la prétendue valeur des Hirondelles noires pour diminuer la population de maringouins. Il vaudrait mieux rappeler aux hôtes potentiels que les maringouins et les Hirondelles noires ne sont pas nécessairement actifs au même moment; l'effet de l'un sur l'autre est donc probablement minime, malgré ce qu'en disent les fabricants de nichoirs multiples. Un nichoir pour chauves-souris (ça existe) serait plus approprié.

Vous voudrez bien sûr que le nichoir soit sécuritaire, qu'il protège les oiseaux des chats, des ratons laveurs et des reptiles. Les petits des oiseaux qui nichent dans des cavités (les usagers typiques des nichoirs) naissent nus et sans défense; pour survivre, ils ont besoin de toute l'aide qu'on peut leur donner. Les ratons laveurs sont les prédateurs qui s'attaquent la plupart du temps aux nids. Un bout de 10 cm d'un tuyau de poêle autour du poteau où le nichoir repose résoudra le problème et découragera également les chats et les reptiles. On peut aussi tout simplement appliquer une graisse sur le poteau. Un collet de 7,5 cm en acier galvanisé autour du tronc peut servir aux mêmes fins.

L'entretien des nichoirs est nécessaire; en vidant le contenu du nichoir après la saison de nidification, on élimine les parasites tels les mites et les poux et on décourage les souris qui pourraient nicher à cet endroit. Nettoyez également entre les couvées pour enlever les oeufs infertiles et les oisillons morts, sinon les oiseaux construiront un nouveau nid sur l'ancien et, en étant plus élevé, il sera plus vulnérable aux prédateurs. Une plate-forme trouée de 1 cm d'épaisseur en matériau dur au fond du nichoir laissera passer les larves de mouches à vache et les empêchera de parasiter les oiseaux. Certains observateurs recommandent d'enlever le nid des «indésirables» (comme les Moineaux domestiques et les Étourneaux sansonnets) qui envahissent les nichoirs; d'autres suggèrent de bloquer le trou d'entrée jusqu'à ce que l'espèce que vous recherchez arrive sur les lieux.

Des caractéristiques que vous pouvez facilement offrir attireront les oiseaux et feront de vos nichoirs des résidences de choix. Des trous d'aération sur les côtés près du toit fourniront de l'air frais et éviteront que l'intérieur soit complètement noir; un oiseau peut avoir peur s'il se rend au trou d'entrée et trouve l'intérieur totalement noir. Les copeaux de bois au fond du nichoir sont appréciés des oiseaux, mais le bran de scie n'est pas recommandé en général. Pour les mésanges et les petits pics, remplissez complètement le nichoir de copeaux et laissez-les creuser leur propre cavité.

Certaines considérations relatives à l'emplacement favorisent l'utilisation des nichoirs par les oiseaux. Accrocher le nichoir sur un poteau décourage les prédateurs, mais les nichoirs pour les oiseaux de forêt doivent être accrochés directement sur un arbre. Il est souhaitable d'avoir un accès dégagé pour l'entrée. Cependant, le trou d'entrée ne devrait pas être exposé aux vents forts, qui viennent surtout de l'est. Il est préférable d'orienter le trou vers le sud, le sud-ouest ou l'ouest. Le nichoir doit être à la verticale ou légèrement incliné vers le sol pour éviter les inondations.

Les exigences particulières varient considérablement. Le Canard branchu a besoin de trous d'aération dans le fond et un lit de 10 cm de profond de copeaux de bois ou de bran de scie. Les oiseaux des régions arides profitent d'un perchoir ainsi que d'un nichoir. Le Grand-duc d'Amérique, le Hibou moyen-duc et la Chouette lapone nicheront dans un panier de broche à poule de 2,5 à 5 cm de profond, placé sur une planche ou un poteau. Il faut des brindilles à l'intérieur et une garniture de branches de conifères ainsi qu'une couche de feuilles et de mousse. Les alentours du nid doivent être assez ouverts sur une distance de 4,5 à 8 m. Les nichoirs de Petits-ducs maculés peuvent être attachés sous une branche; s'il n'y a pas de branche à angle, attachez-le en laissant un angle. Les Tourterelles tristes utiliseront une plate-forme en forme de cône faite de matériau dur et placée dans la fourche d'un arbre entre 2 et 5 m du sol.

La Chouette rayée niche dans un nichoir carré ou rond de 50 à 60 cm de haut et de 30 cm de diamètre (ou 30 cm carré). Percez un trou de 15 cm pour l'entrée, mettez plusieurs centimètres de copeaux de bois, de feuilles sèches ou de mousse au fond et accrochez-le à 5 m de hauteur dans un gros arbre.

Les Hirondelles des granges, les Merles d'Amérique et les moucherolles aiment les tablettes ou les plates-formes sous les avant-toits. Placez une planche de 15 cm carré, de 2,5 à 3 m du sol pour les Merles d'Amérique et les Hirondelles des granges et une planche de 15 cm sur 20 cm, de 2 à 4,5 m du sol pour les moucherolles.

Le nichoir du merle-bleu doit être dans un endroit ouvert, à environ 15 m de l'arbre ou du perchoir le plus près pour le premier vol des oisillons. Si vous placez le nichoir loin des buissons, vous éviterez l'occupation possible par des troglodytes. Vous pouvez utiliser une paire de nichoirs si vous avez des Hirondelles bicolores et des Hirondelles à face blanche ainsi que des merles-bleus. Ces espèces coexisteront dans le même territoire, même si deux couples de la même espèce ne le feront pas. Faites un trou d'entrée de 3,8 cm seulement pour exclure les Étourneaux sansonnets et placez un bloc de 2 cm au-dessus du trou afin qu'ils ne puissent pas entrer et donner des coups de bec aux oeufs ou aux petits. Cependant, cela n'éloignera pas les Moineaux domestiques qui n'ont besoin que d'une entrée de 3 cm. Si vous placez le nichoir loin de la maison et de la grange et que vous bouchiez l'entrée jusqu'à ce que les merles-bleus arrivent, les Moineaux domestiques (toujours dans les environs) se trouveront un autre endroit. La même technique est utile pour les nichoirs d'Hirondelles noires. Les nichoirs de merles-bleus ne devraient pas avoir de perchoir sous le trou d'entrée, car les oiseaux maraudeurs peuvent s'y poser pour harceler les occupants. Les nichoirs situés dans les endroits ouverts devraient être de couleur pâle pour éviter le surchauffage.

Ne créez pas un taudis d'oiseaux; quatre ou cinq nichoirs par 4 000 mètres carrés est un nombre acceptable. Même l'Hirondelle noire préférerait une moins grande densité que ce qui est normalement offert.

En tant qu'hôte prévenant, vous devriez faire votre possible pour éviter le surchauffage, le froid, les fuites et la condensation. Utilisez un fini extérieur brun, ocre ou gris, mais assurez-vous de ne pas utiliser de la créosote ou de la peinture à base de plomb. Le blanc est recommandé pour les nichoirs à Hirondelles noires, car ce sont de larges maisons à compartiments, parfois faites de métal et complètement à découvert. Le blanc aide à garder la température basse. L'intérieur des nichoirs ne doit pas être fini. Pour un drainage approprié, le toit devrait dépasser de 7,5 cm sur le devant. Les nichoirs à toit plat devraient avoir une gouttière de 0,3 cm de profond le long du devant. Percez des trous de 1 cm dans chaque coin du plancher. Le nichoir ne doit pas être trop mince; la chaleur dans un nichoir aux murs minces peut tuer les petits. Les troglodytes qui nichent dans une boîte de carton, un bout de tuyau ou une autre place étrange peuvent avoir de tels problèmes.

Du contre-plaqué pour l'extérieur ou du cèdre de 1,90 cm d'épaisseur conviennent parfaitement pour les nichoirs; ils sont durables. Certains livres recommandent les tuyaux en plastique, mais ils se trompent; ils deviennent chauds trop rapidement. Les boîtes de café et les contenants en plastique sont aussi de mauvais choix. Le métal et le plastique ne sont pas bons en général, mais il y a deux exceptions. Les nichoirs multiples ont moins de risque de tomber que les maisons lourdes en bois et les nichoirs de Canards branchus en métal offrent une protection contre les ratons laveurs.

La plupart des bibliothèques publiques ont un bon choix de livres donnant des instructions simples et acceptables pour construire des nichoirs pratiques. Méfiez-vous des livres qui ont des plans compliqués et des modèles «mignons»; on peut penser que ces résidences ont été conçues en fonction des goûts des humains et non des besoins des oiseaux. J'ai vu des livres spécialisés dans les nichoirs aux couleurs vives, très décorés, cherchant apparemment à flatter la fierté du menuisier. Un livre avait même un nichoir conçu de façon à ressembler à une remise.

Les ornithologues ont découvert que les nids artificiels servent à d'autres oiseaux que ceux qui nichent dans les cavités. Les Balbuzards, les pygargues, les cormorans et les chouettes acceptent les plates-formes; les sternes, les huarts, les canards et les bernaches acceptent les plates-formes artificielles flottantes. Le Milan des marais, une espèce en voie de disparition, accepte les paniers de métal fabriqués pour eux et semblent les préférer à leur construction dans les marais.

LE NID ET VOUS

Pour ce qui est d'observer un nid actif, le respect du processus de reproduction devrait contrôler notre curiosité. Il ne s'agit pas de se priver du plaisir de regarder tout le processus, de la construction du nid au premier vol des oisillons. C'est, après tout, une des raisons pour lesquelles nous nous efforçons de construire des nichoirs sur notre propriété afin d'attirer les oiseaux. Les oiseaux qui nichent près des maisons ne

La femelle de l'Oriole du Nord choisit le site pour son nid.

seront probablement pas incommodés par l'intérêt discret que vous portez à leurs activités; mais «discret» ne signifie pas prendre le nid, les oeufs ou les oisillons. Si un parent arrive sur les lieux, il vaut mieux s'éclipser doucement.

Une trop grande attention portée à un nid peut attirer l'attention des prédateurs, incluant nos animaux domestiques.

Les oiseaux qui nichent plus loin des habitations humaines n'apprécient probablement pas notre présence (les Carouges à épaulettes attaquent les curieux). De plus, la présence d'humain peut empêcher le parent de retourner au nid pour prendre soin des petits. Un couple d'aigles a survolé son aire pendant des jours parce que des campeurs s'étaient installés trop près et les effrayaient. Les petits aigles en sont morts de faim.

Il est agréable de savoir que plusieurs des qualités que nous apprécions d'un jardin plaisent également aux oiseaux. Ce qui est encore plus rassurant, c'est qu'un peu de désordre leur fait plaisir. Si des fleurs ou des herbes font des graines, vous pouvez être sûr que certains oiseaux les aimeront. Lorsque vous n'enlevez pas les mauvaises herbes ou que vous ne ramassez pas l'herbe sèche, vous pouvez toujours déclarer que vous n'oseriez pas priver les oiseaux de leur source de nourriture...

CONDITIONS D'HABITAT

Oiseau	Nourriture
Huart à collier	Poissons, batraciens, insectes, plantes aquatiques
Grand Héron	Insectes, poissons, batraciens
Héron garde-boeufs	Insectes, reptiles, batraciens, crustacés
Héron vert	Petits poissons, crustacés, insectes
Cygne tuberculé	Crustacés, insectes
Bernache du Canada	Gazon, plantes de marais, plantes aquatiques, céréales
Canard colvert	Graines, feuilles
Canard branchu	Glands, insectes
Urubu à tête rouge	Charogne
Urubu noir	Charogne
Buse à queue rousse	Petits mammifères, batraciens, reptiles, oisillons, insectes
Aigle royal	Mammifères petits à moyens, poissons, reptiles, charogne
Pygargue à tête blanche	Poissons, mammifères petits à moyens
Busard Saint-Martin	Petits mammifères et oiseaux
Balbuzard	Poissons
Faucon pèlerin	Oiseaux petits à grands
Crécerelle d'Amérique	Insectes, petits mammifères, reptiles, batraciens, oiseaux

CONDITIONS D'HABITAT (suite)

Matériaux pour le nid	Remarques
Joncs, gazon, brindilles, roseaux	Aime les petites îles boisées et l'intimité.
Branchages	Niche en colonies dans les arbres de marais.
Branchages	Niche dans les buissons ou les arbres, pas nécessairement près de l'eau; en solitaire ou en colonies.
Branchages	Niche en colonies dans les arbres.
Branchages, racines, déchets	Niche sur un îlot sur le bord des marécages ou sur les rives près de l'eau.
Branchages, roseaux, gazon, duvet	Niche sur le sol près de l'eau.
Roseaux, gazon, plumes, duvet	Aime nicher sur le sol sec dans les hautes herbes ou la luzerne.
Copeaux de bois, duvet	Niche dans les cavités; accepte les nichoirs.
Aucun	Niche sur le sol, de préférence sur le gravier ou le bran de scie.
Aucun	Niche sur le sol; les deux parents couvent.
Brindilles	Construit son nid sur une corniche ou dans un arbre, dans un endroit ouvert; peut utiliser le même nid à plusieurs reprises.
Branchages, gazon	Niche dans les grands arbres ou une falaise.
Branchages, branches, gazon, mousse, mauvaises herbes	Nid énorme, habituellement construit dans la fourche d'un arbre géant.
Gazon, roseaux	Niche sur le sol.
Branchages, écorce, gazon	Niche en colonies éparses; aime les arbres et les poteaux, hauts ou bas.
Aucun	Niche dans une dépression dans le sol ou s'accapare le nid d'une buse, d'un corbeau ou d'un aigle.
Aucun	Niche dans les cavités; accepte les nichoirs.

CONDITIONS D'HABITAT

Oiseau	Nourriture
Tétras du Canada	Bourgeons et aiguilles de conifères, baies, insectes
Gélinotte huppée	Graines, insectes, fruits
Gélinotte à queue fine	Végétation, insectes
Colin de Virginie	Végétation, graines, insectes
Colin de Californie	Insectes, céréales, baies, fruits
Colin à ventre noir	Insectes, céréales, baies, fruits
Faisan de chasse	Céréales, graines, végétation
Dindon sauvage	Glands, baies, plantes, insectes
Pluvier kildir	Insectes
Bécasse d'Amérique	Vers de terre, larves d'insectes
Chevalier branlequeue	Insectes
Goéland argenté	Charogne, déchets, animaux marins
Pigeon biset	Graines, céréales, nourriture donnée
Tourterelle triste	Graines, céréales
Colombe à queue noire	Graines, céréales, baies
Coulicou à bec jaune	Insectes, fruits sauvages
Coulicou à bec noir	Insectes, fruits charnus
Grand Géocoucou	Reptiles, rongeurs, insectes
Effraie des clochers	Souris

Matériaux pour le nid	Remarques
Brindilles sèches, feuilles, mousse, gazon	Niche sur le sol; préfère les sites sous une branche de conifère basse.
Feuilles, aiguilles de pin	Niche dans un creux sous une bûche ou au pied d'un arbre dans la forêt.
Gazon, plumes	Niche dans un creux sur le sol.
Mauvaises herbes, gazon	Niche dans un creux sur le gazon.
Gazon	Niche dans un creux sous un amas de broussailles, près d'un rocher, parfois dans les jardins.
Gazon, plumes	Niche dans un creux au pied d'un arbuste.
Mauvaises herbes, gazon, feuilles	Niche sur le sol.
Feuilles mortes	Niche sur le sol.
Aucun	Niche à découvert, au sol ou sur un toit, sur des cailloux, des copeaux de bois, du gazon.
Feuilles mortes, brindilles, aiguilles de pin	Niche sur le sol, nid non dissimulé.
Gazon, feuilles, tiges d'herbe	Niche sur le sol, dans un nid en forme de soucoupe près de l'eau.
Gazon, algues, coquilles, plumes	Niche sur le sol, dans un endroit sablonneux.
Brindilles, gazon, paille, débris	Le mâle rassemble les matériaux, la femelle construit le nid.
Brindilles	Niche sur le sol ou dans un arbre.
Brindilles, aiguilles de pin, radicelles, gazon	Niche sur le sol ou plus haut.
Brindilles	Niche entre 1, 2 et 3 m du sol; aime les fourrés.
Brindilles	Niche dans les repousses d'arbuste.
Brindilles	Niche dans les cactus.
Aucun	Accepte les nichoirs.

CONDITIONS D'HABITAT

Oiseau	Nourriture
Petit-duc maculé	Petits rongeurs et insectes
Grand-duc d'Amérique	Petits mammifères, oiseaux, reptiles
Petite Nyctale	Petits mammifères, insectes
Engoulevent bois-pourri	Insectes volants
Engoulevent d'Amérique	Insectes volants
Martinet ramoneur	Insectes volants
Martinet à gorge blanche	Insectes volants
Colibri à gorge rubis	Nectar, petits insectes, sève
Colibri à gorge noire	Nectar, petits insectes
Colibri d'Anna	Petits insectes, nectar
Colibri roux	Nectar, insectes
Colibri d'Allen	Nectar, petits insectes
Martin-pêcheur d'Amérique	Poissons, écrevisses, insectes
Pic flamboyant	Fourmis, autres insectes, fruits sauvages
Grand Pic	Fourmis charpentières, larves et adultes; autres insectes, fruits sauvages, glands, faînes
Pic à ventre roux	Insectes, faînes, maïs, fruits sauvages
Pic à tête rouge	Insectes, glands, fruits sauvages

CONDITIONS D'HABITAT (suite)

Matériaux pour le nid	Remarques
Aucun	Accepte les nichoirs; pond les oeufs sur des feuilles ou des décombres dans une cavité.
Aucun	Utilise souvent le nid déserté d'un faucon ou d'une corneille, ou pond ses oeufs sur le sol parmi les vieux os, les crânes, la fourrure, etc.; forêt épaisse.
Aucun	Utilise les trous de pics ou d'écureuils; accepte les nichoirs.
Aucun	Pond ses oeufs sur des feuilles mortes sur le sol.
Aucun	Niche sur le sol nu ou les toits plats.
Brindilles	Répare et utilise les vieux nids.
Brindilles	Niche sur les falaises sèches.
Lichen, écales de bourgeons, duvet végétal, toiles d'araignée	Le nid a la grosseur d'une oeillère.
Écales de bourgeons, feuilles, duvet végétal, toiles d'araignée	Le nid ressemble à une petite éponge jaune.
Lichen, mousse, plumes, fourrure	Construit souvent sur une branche près ou au-dessus de l'eau.
Duvet végétal, tiges, mousse, morceaux d'écorce, lichen	Construit parfois un nouveau nid par-dessus un vieux.
Mousse, tiges et duvet de plantes, lichen, morceaux d'écorce, toiles d'araignée	Niche dans les saules ou les cotonniers dans les régions arides.
Aucun	Creuse un terrier dans un talus sur le bord de l'eau.
Copeaux de bois	Accepte les nichoirs.
Copeaux de bois	Creuse un nouveau trou pour chaque couvée.
Copeaux de bois	Creuse un nid en forme de gourde.
Copeaux de bois	Les deux parents creusent la cavité dans un arbre mort ou vivant; accepte les nichoirs.

CONDITIONS D'HABITAT

Oiseau	Nourriture
Pic des saguaros	Insectes volants, fourmis, baies, maïs
Pic de Lewis	Sève, insectes
Pic maculé	Sève, insectes, fruits, baies
Pic chevelu	Cafards, larves et adultes; fourmis, fruits, noix, maïs
Pic mineur	Insectes
Pic à dos noir	Insectes
Pic tridactyle	Insectes
Tyran tritri	Insectes volants, fruits sauvages
Tyran de l'Ouest	Insectes volants
Moucherolle phébi	Insectes volants
Moucherolle à ventre roux	Insectes volants
Moucherolle des saules	Insectes volants
Moucherolle tchébec	Insectes volants
Pioui de l'Est	Insectes
Alouette cornue	Insectes, graines
Hirondelle à face blanche	Insectes volants
Hirondelle bicolore	Insectes volants, baies, graines
Hirondelle des granges	Insectes
Hirondelle à front blanc	Insectes volants

CONDITIONS D'HABITAT (suite)

Matériaux pour le nid	Remarques
Copeaux de bois	Niche dans les cavités dans les cactus saguaros ou les cotonniers.
Copeaux de bois	Niche dans les cavités.
Copeaux de bois	Niche dans les cavités
Copeaux de bois	Accepte les nichoirs.
Copeaux de bois	Accepte les nichoirs.
Copeaux de bois	Niche dans les cavités, les arbres ou les poteaux.
Copeaux de bois	Niche dans les cavités, dans les conifères morts.
Mauvaises herbes, mousse, écorce, plumes, tissu, corde	Nid mal construit, facile à détruire.
Brindilles, gazon	Niche souvent sur des structures construites par l'humain.
Mauvaises herbes, gazon, boue, mousse, poils	Accepte les plates-formes; construit sur des avant-toits.
Boue, mousse, bois	Niche sur les saillies, sous les édifices, les ponts.
Lambeaux de plantes, gazon	Préfère les fourches dans les broussailles, près du sol.
Fibres végétales, gazon	Niche dans une fourche verticale dans un arbre.
Fibres végétales, lichen	Construit un nid peu profond sur une branche horizontale.
Gazon	Niche sur le sol.
Gazon sec, plumes	Accepte les nichoirs.
Gazon, plumes	Accepte les nichoirs.
Boue, pailles	Niche sur les édifices, sous les ponts et dans les caniveaux; anciennement sur les falaises et dans les grottes.
Boue	À l'extérieur des édifices, sur les falaises, sous les ponts.

CONDITIONS D'HABITAT

Oiseau	Nourriture
Hirondelle noire	Insectes volants
Geai du Canada	Omnivore: insectes, fruits, graines, bourgeons
Geai bleu	Omnivore: graines, fruits, glands, jeunes souris, oisillons
Geai à gorge blanche	Omnivore: insectes, glands, jeunes oiseaux
Geai de Steller	Omnivore: glands, fruits, graines, baies
Pie bavarde	Omnivore: insectes, matières végétales, charogne
Corneille d'Amérique	Omnivore: céréales, insectes, charogne.
Casse-noix d'Amérique	Omnivore: noix
Mésange à tête noire	Insectes, graines, fruits
Mésange minime	Insectes, graines, fruits
Mésange de Gambel	Insectes, graines, baies
Mésange à tête brune	Insectes, graines, baies
Mésange bicolore	Insectes, graines, faînes, fruits
Mésange unicolore	Insectes, glands, baies

CONDITIONS D'HABITAT (suite)

Matériaux pour le nid	Remarques
Gazon, brindilles, écorce, papier, feuilles, corde	Niche en colonies denses; accepte les nichoirs multiples.
Brindilles, gazon, écorce, mousse, lichen, duvet végétal, plumes, cocons, toiles d'araignée	Niche tôt, fin hiver, début printemps.
Brindilles, radicelles, papier, chiffons, corde, écorce, gazon, feuilles, plumes	Nid négligé en forme de coupe dans la fourche d'un arbre.
Brindilles, radicelles	Colonies éparses avec jusqu'à six nids.
Branchages, boue, gazon, radicelles, aiguilles de pin	Aime utiliser une plate-forme de vieilles feuilles dans une fourche d'arbre.
Branchages, gazon	Niche en colonies; préfère les fourrés de saules.
Branchages, écorce, fibres végétales, radicelles, gazon, plumes, algues, tiges de blé	Le Grand-duc d'Amérique prend parfois le nid des corneilles; le Hibou moyen-duc peut utiliser un nid abandonné.
Brindilles, gazon	Niche dans les conifères.
Mousse, fibres végétales, fougère, laine, plumes, poils, fourrure	Accepte les nichoirs.
Mousse, gazon, écorce, duvet végétal, plumes, poils, fourrure	Le parent place du duvet par-dessus les oeufs lorsqu'il s'absente du nid; accepte les nichoirs.
Gazon, mousse, duvet végétal, écorce, radicelles, fourrure, poils, laine	Niche dans les cavités dans les forêts de conifères.
Mousse, lichen, écorce, duvet de fougère, plumes, fourrure	Niche dans les cavités.
Feuilles, écorce, mousse, gazon, coton, laine, plumes, poils, fourrure, vieilles peaux de reptiles.	Accepte les nichoirs.
Coton, laine, plumes, tout ce qui est doux	Accepte les nichoirs.

CONDITIONS D'HABITAT

Oiseau	Nourriture
Mésange buissonnière	Insectes et larves
Sittelle à poitrine blanche	Insectes, graines, fruits, faînes
Sittelle à poitrine rousse	Insectes, graines
Sittelle à tête brune	Insectes, graines de pin
Petite Sittelle	Insectes
Grimpereau brun	Insectes, oeufs et larves d'insectes et d'araignées
Troglodyte familier	Insectes
Troglodyte des forêts	Insectes
Troglodyte de Bewick	Insectes
Troglodyte de Caroline	Insectes
Moqueur polyglotte	Insectes, fruits, baies, graines
Moqueur chat	Insectes, fruits, baies
Moqueur roux	Insectes, baies, fruits, céréales
Moqueur de Californie	Fruits sauvages, baies, insectes
Moqueur des armoises	Insectes, baies, fruits
Merle d'Amérique	Fruits, vers de terre, insectes

CONDITIONS D'HABITAT (suite)

Matériaux pour le nid	Remarques
Mousse, lichen, feuilles, toiles d'araignée	Niche dans les jardins urbains, dans les buissons ou les arbres.
Écorce, gazon, brindilles, radicelles, plumes, poils	Accepte les nichoirs.
Copeaux de bois, plumes, gazon, radicelles, écorce	Accepte les nichoirs.
Morceaux d'écorce, fourrure, plumes, ailes de graines de pin, gazon, coton, laine, aiguilles de pin	Niche dans les cavités dans les forêts de pins, les marais de cyprès.
Plumes, duvet végétal, laine, fourrure	Niche dans les fentes d'écorce ou dans les cavités, de préférence dans les conifères.
Brindilles, feuilles, gazon, écorce, mousse	Niche sous les morceaux d'écorce détachés sur les arbres.
Brindilles, gazon, radicelles, plumes, poils, déchets	Accepte les nichoirs.
Branchages, mousse	Niche dans les fouillis de végétation près du sol.
Écorce, déchets divers	Niche dans les crevasses; accepte les nichoirs.
Brindilles, gazon, feuilles	Accepte les nichoirs, à 3 m ou moins du sol.
Brindilles, feuilles, mousse, poils, radicelles	Niche dans les arbustes ou les arbres.
Brindilles, mauvaises herbes, feuilles, gazon, radicelles	Aime nicher dans les ronces; peut utiliser le même nid pour les deuxième et troisième couvées.
Brindilles, feuilles sèches, gazon	Niche sur le sol; nouveau partenaire pour la deuxième couvée.
Grosses brindilles	Niche près du sol; nid similaire à celui du Moqueur polyglotte mais plus gros.
Morceaux d'écorce, brindilles, gazon	Niche dans les armoises.
Brindilles, boue, gazon fin, fourrure d'animal	Accepte les plates-formes; niche près ou sur les nichoirs dans les arbres à feuillage persistant ou caduque.

CONDITIONS D'HABITAT

Oiseau	Nourriture
Grive des bois	Insectes, fruits
Grive solitaire	Insectes, fruits
Grive à dos olive	Insectes, fruits sauvages
Grive fauve	Insectes, fruits sauvages, graines
Merle-bleu de l'Est	Insectes, fruits
Merle-bleu de l'Ouest	Insectes, fruits, baies, graines de mauvaises herbes
Merle-bleu azuré	Insectes, fruits
Solitaire de Townsend	Insectes volants
Gobe-moucherons gris-bleu	Insectes
Roitelet à couronne dorée	Insectes
Roitelet à couronne rubis	Insectes, graines, fruits
Jaseur des cèdres	Baies, insectes
Pie-grièche migratrice	Insectes, petits animaux, oiseaux
Étourneau sansonnet	Insectes, graines, fruits, céréales
Viréo aux yeux blancs	Insectes, fruits sauvages
Viréo à gorge jaune	Insectes

CONDITIONS D'HABITAT (suite)

Matériaux pour le nid	Remarques
Gazon, feuilles, mauvaises herbes, mousse, boue	Aime le blanc sur la paroi extérieure du nid.
Brindilles, gazon, écorce, mauvaises herbes, fougères, mousse, aiguilles de pin, radicelles, poils de hérisson	Niche sur le sol dans les bois humides et frais.
Gazon, mousse, brindilles	Niche dans les épinettes.
Gazon, brindilles	Niche au sol.
Gazon fin	Accepte les nichoirs.
Gazon	Accepte les nichoirs.
Gazon	Accepte les nichoirs.
Gazon, aiguilles de pin	Nid bien dissimulé sur le sol.
Duvet végétal, toiles d'araignée, lichen	Nid dans les grands arbres, dans les bois dégagés et les jardins.
Mousse, lichen	Le nid est sur petite branche de conifère, ou y est suspendu.
Mousse, lichen	Le nid est sur une grosse branche de conifère, ou y est suspendu.
Gazon, brindilles, mauvaises herbes, branchages, fils, radicelles	Préfère les bois dégagés.
Brindilles, gazon	Niche dans les broussailles denses.
Surtout du gazon	Réquisitionne les nichoirs destinés à d'autres espèces.
Feuilles, mousse, alvéoles de guêpes, branchages, fibres de bois douces	Niche dans les arbustes, souvent près de l'eau.
Toiles d'araignée, lichen, mousse, écailles d'oeufs d'araignées	Niche dans les arbres à l'abri du soleil, les vergers.

CONDITIONS D'HABITAT

Oiseau	Nourriture
Viréo aux yeux rouges	Insectes
Viréo mélodieux	Insectes
Paruline noir et blanc	Insectes
Paruline verdâtre	Insectes
Paruline jaune	Insectes
Paruline à tête cendrée	Insectes
Paruline à croupion jaune	Insectes, baies
Paruline à gorge jaune	Insectes
Paruline à couronne rousse	Insectes, baies
Paruline masquée	Insectes
Paruline polyglotte	Insectes, baies
Paruline flamboyante	Insectes
Moineau domestique	Insectes, graines, déchets
Goglu	Insectes, graines
Sturnelle des prés	Insectes, graines, céréales
Sturnelle de l'Ouest	Insectes, céréales

CONDITIONS D'HABITAT (suite)

Matériaux pour le nid	Remarques
Écorce, gazon, écailles d'oeufs d'araignées, duvet végétal	Niche sur une branche entre 1,5 et 4,5 m de haut.
Mousse, écorce, gazon	Niche dans les grands arbres, dans les jardins et à la lisière des bois.
Gazon, radicelles	Niche sur le sol, au pied d'un arbre, d'une souche ou d'un rocher.
Gazon, radicelles	Niche sur le sol dans les arbustes à flanc de colline.
Fibres de plante	Niche dans les fourches de jeunes arbres ou d'arbustes, dans les fourrés, les jardins, les terres cultivées.
Brindilles, gazon	Préfère les petits conifères à la lisière des bois ou dans les jardins.
Gazon sec, mauvaises herbes, écorce, toiles d'araignées, poils, duvet végétal	Niche dans les forêts d'épinettes ou de sapins, ou dans les jardins.
Brindilles, morceaux d'écorce	Niche dans les pins, les chênes, les sycomores, dans les plaines alluviales.
Gazon	Niche dans la mousse au pied d'un arbre ou d'un arbuste, dans les marais ou sur les pelouses.
Gazon, feuilles, poils	Aime les endroits humides avec des arbustes.
Gazon, feuilles	Niche près du sol, dans les fourrés.
Morceaux d'écorce, tiges de feuilles	Niche dans les bois, les marais, les jardins.
Gazon, paille, mauvaises herbes, déchets divers	Réquisitionne les nichoirs destinés à d'autres espèces.
Gazon, tiges d'herbe	Niche sur le sol dans les hautes herbes.
Gazon, mauvaises herbes	Niche sur le sol dans les prés, les champs, les marais.
Gazon, mauvaises herbes	Niche sur le sol, dans les prés, les champs, les marais.

CONDITIONS D'HABITAT

Oiseau	**Nourriture**
Carouge à tête jaune	Insectes, céréales, graines
Carouge à épaulettes	Insectes, graines, céréales
Oriole des vergers	Insectes, fruits
Oriole du Nord	Insectes, fruits
Oriole jaune-verdâtre	Nertar, insectes, fruits
Quiscale de Brewer	Insectes, graines
Quiscale bronzé	Insectes, fruits, céréales
Vacher à tête brune	Insectes, graines, baies, céréales
Tangara à tête rouge	Insectes, fruits, baies
Tangara écarlate	Insectes, fruits
Tangara vermillon	Insectes
Cardinal rouge	Graines, fruits, céréales, insectes
Cardinal à poitrine rose	Insectes, graines, fruits
Cardinal à tête noire	Insectes, fruits
Passerin bleu	Insectes, céréales

CONDITIONS D'HABITAT (suite)

Matériaux pour le nid	Remarques
Laiche, gazon	Attache le nid sur des roseaux près du sol dans les marais.
Jonc, gazon, mousse, fibre de laiteron	Niche en société, dans les endroits marécageux; attaque les intrus.
Herbe, fibres, gazon sec	Aime les arbres de bois dur; a tendance à nicher en colonies.
Tiges de mauvaises herbes, intérieur d'écorce, corde, duvet végétal, poils	Nid en forme de gourde de 13 cm de long.
Gazon, fibres de yucca, crin de cheval, lambeaux de coton, gazon	Préfère nicher dans le yucca, près de l'eau.
Brindilles, écorce, boue	Niche souvent en colonies.
Brindilles, gros gazon ou algues, boue, gazon doux	Niche un peu en colonies; utilise parfois les nids de Balbuzard.
Aucun	Parasite les nids des autres espèces.
Gazon, écorce, brindilles, poils, radicelles	Construit un nid fragile, en forme de soucoupe.
Brindilles, radicelles, gazon	Bâtit un petit nid plat et fragile en forme de soucoupe, de préférence sur une grosse branche de chêne.
Gazon, radicelles, feuilles, écorce, mousse	Niche dans des arbres à l'ombre, dans les étendues boisées.
Brindilles, feuilles, mauvaises herbes, gazon, poils, radicelles	Niche habituellement à 2,5 m du sol.
Brindilles, mauvaises herbes, gazon	Préfère les fourches d'arbres à feuillage caduque.
Brindilles, tiges de plantes	Niche dans les arbustes ou les arbres.
Gazon, radicelles, peau de reptiles	Niche dans les arbustes ou sur les branches basses.

CONDITIONS D'HABITAT

Oiseau	Nourriture
Passerin indigo	Insectes, graines
Passerin azuré	Graines, insectes
Passerin nonpareil	Graines, insectes
Dickcissel	Graines, céréales, insectes
Gros-bec errant	Bourgeons, fruits, graines, insectes
Roselin pourpré	Graines, bourgeons, fruits, insectes
Roselin familier	Graines, fruits, insectes
Chardonneret des pins	Insectes, bourgeons, graines
Chardonneret jaune	Insectes, bourgeons, graines
Bec-croisé rouge	Graines, surtout de conifères, bourgeons, fruits sauvages
Tohi à queue verte	Graines, fruits sauvages, insectes
Tohi à flancs roux	Insectes, graines, fruits, faînes
Junco ardoisé	Insectes, fruits sauvages, graines
Bruant hudsonien	Graines
Bruant familier	Insectes, graines

CONDITIONS D'HABITAT (suite)

Matériaux pour le nid	Remarques
Brindilles, gazon, mauvaises herbes, feuilles, poils, plumes	Peut utiliser le même nid pendant cinq ans, le réparant au besoin.
Gazon, feuilles	Niche sur les branches basses près de l'eau.
Brindilles, feuilles, radicelles, écorce, mauvaises herbes, gazon, cocon de chenille, crin de cheval	Aime nicher dans le feuillage épais près du sol.
Mauvaises herbes, gazon	Construit un nid large et volumineux.
Brindilles, gazon, radicelles	Relativement social; niche dans les conifères.
Brindilles, mauvaises herbes, gazon	Préfère les arbres à feuillage persistant.
Brindilles, gazon, débris	Niche n'importe où.
Brindilles, écorce, poils, duvet végétal, mousse, fourrure	Dissimule son nid dans les conifères.
Fibres végétales, duvet de chardon	Place son nid dans les arbustes feuillus ou les arbres.
Tiges de conifères, mousse	Niche habituellement dans un conifère.
Gazon, morceaux d'écorce	Niche dans les sous-bois.
Feuilles, mauvaises herbes, écorce, gazon, tiges, fougères, mousse, aiguilles de pin, radicelles de gazon	Niche sur le sol ou tout près.
Gazon, radicelles, mousse, morceaux d'écorce, poils de vache ou de cerf	Nid volumineux sur le sol; construit un nouveau nid pour la deuxième couvée.
Gazon, radicelles, mauvaises herbes, plumes, poils, fourrure	Niche dans les fourrés.
Brindilles, mauvaises herbes, gazon, radicelles, poils	Niche dans les vignes ou les arbustes.

CONDITIONS D'HABITAT

Oiseau	Nourriture
Bruant des champs	Insectes, graines
Bruant à couronne blanche	Insectes, graines
Bruant à gorge blanche	Insectes, graines, fruits sauvages
Bruant à couronne dorée	Graines
Bruant fauve	Insectes, graines, fruits
Bruant chanteur	Insectes, graines, fruits

CONDITIONS D'HABITAT (suite)

Matériaux pour le nid	Remarques
Gazon, mauvaises herbes, radicelles	Niche sur le sol.
Brindilles, gazon, feuilles, radicelles, mousse, fourrure, poils, écorce	Niche sur le sol.
Gazon, brindilles, feuilles, mousse, radicelles, poils	Niche sur le sol.
Brindilles, mousse, gazon, racines fines	Niche dans une dépression sur le sol ou sur une touffe d'herbe.
Gazon, mousse, feuilles, écorce, radicelles de mauvaises herbes, plumes, radicelles	Peut nicher sur le sol ou à 3,5 m de haut dans un buisson ou un arbre.
Gazon, écorce, feuilles, poils, radicelles	Aime les arbustes et les hautes herbes pour nicher.

6 | L'OEUF

MÊME S'IL EST PROBABLEMENT INUTILE de tomber dans l'extase devant la perfection de la Nature et la merveille absolue qu'est l'oeuf, je dois avouer que j'en suis toujours ébahie.

La grosseur de l'oeuf dépend de la taille de l'oiseau qui le pond et du développement de l'oisillon au moment de l'éclosion. Un petit qui éclôt avec du duvet, prêt à suivre ses parents, exige nécessairement plus de nourriture (donc un oeuf plus gros) que celui qui naît nu et sans défense. Le plus gros oeuf connu est celui de l'autruche. Il a entre 15 et 23 cm de long et entre 12,5 et 15 cm de diamètre. La coquille, qui a 0,64 cm d'épaisseur, pourrait contenir de 12 à 18 oeufs de poule. Le Colibri à gorge rubis, par contre, pond des oeufs de la grosseur d'un pois, environ un cm de long.

La forme de l'oeuf varie selon les familles. Les oiseaux marins pondent habituellement des oeufs en forme de poire, vraisemblablement pour les empêcher de rouler hors du nid. Les hiboux pondent des oeufs de forme sphérique. Les oiseaux de rivage et les Colins de Virginie pondent des oeufs pointus; le nid peut ainsi en contenir un plus grand nombre.

La couleur des oeufs est réglée par le besoin de l'oiseau de déjouer les prédateurs; mais cela ne semble pas être d'une importance vitale. Néanmoins, les oeufs qui sont pondus dans un endroit à découvert ont tendance à être tachetés et à avoir une plus grande pigmentation, alors que les oiseaux qui nichent dans les cavités pondent généralement des oeufs blancs. Certains naturalistes croient que les oeufs ont tous déjà été blancs. La couleur change parfois pendant l'incubation. Le bout large de l'oeuf passe d'abord dans l'oviducte et a tendance à ramasser plus de pigments des parois cellulaires.

Il existe certaines conventions concernant la couleur des oeufs. On inscrit la couleur de base et on spécifie si les marques sont des taches, des mouchetures, des points, des éclaboussures, des gribouillages, des rayures, des marbrures, des couronnes, des capuchons ou des chevauchements. La *couronne* (une bande de couleur différente) et le *capuchon* (un bout d'une couleur différente) se retrouvent habituellement au bout le plus large de l'oeuf.

La texture de la surface de l'oeuf varie aussi. Les oiseaux aquatiques ont tendance à pondre des oeufs plutôt graisseux; certains ont une surface rugueuse et d'autres, comme ceux des grèbes et des cormorans, ont une surface poudreuse. Les pics pondent des oeufs luisants. Les Passereaux pondent généralement des oeufs ternes, un par jour, le matin, jusqu'à ce que la couvée soit complète.

Une *couvée* est le nombre d'oeufs compris dans un seul nid. Si la première couvée est détruite, la deuxième est habituellement plus petite. Cependant, des expériences ont démontré que certaines femelles feront tout pour s'assurer d'avoir des oeufs à couver. Si les oeufs sont enlevés du nid, certaines espèces pondent jusqu'à ce que le nombre «juste» d'oeufs soit obtenu.

Un pic, dont les oeufs étaient enlevés aussitôt pondus, a produit 71 oeufs en 73 jours. Ce genre de comportement s'appelle une ponte *indéterminée*. Certaines espèces sont des pondeuses *déterminées*: le nombre d'oeufs qu'elles produisent semble déterminé génétiquement. La femelle pond exactement le même nombre d'oeufs, que certains soient détruits ou non. Le bécasseaux en sont un exemple. Le nombre d'oeufs dans les couvées semble varier selon la situation géographique du nid (s'il s'agit d'un environnement où il est difficile de survivre ou non) et même selon la quantité de nourriture disponible.

Des observateurs d'oiseaux ont élaboré une théorie voulant qu'un plus petit nombre d'oeufs soit produit par certaines espèces parce que l'environnement dans lequel ils vivent est plus facile et les chances de survie des rejetons sont meilleures. Les couvées sont plus petites dans les régions tropicales et elles grossissent en allant vers le nord. Les canards et les Gallinacés (les oiseaux de type poulet, incluant les colins et les gélinottes) ont les plus grosses couvées, soit entre 8 et 15 oeufs. (Certains canards pondent dans le nid le plus près; ces nids sont appelés des nids dépotoirs. On a retrouvé jusqu'à 40 oeufs dans le nid d'un Canard branchu, qui pond seulement de 10 à 15 oeufs.) La grosseur de la couvée varie également d'une année à l'autre dans une même espèce, selon la nourriture disponible. Le nombre d'oeufs et le nombre de couvées semblent correspondre à la sécurité de l'oiseau dans son environnement normal et à sa durée de vie.

La période d'incubation

Un oisillon émergeant de la coquille.

L'oeuf est composé principalement de nourriture avec laquelle la cellule fertilisée se nourrit. Un oeuf non fertilisé est rare chez les oiseaux sauvages. (Même s'il reste parfois un oeuf dans le nid après que tous les autres sont éclos, il contient probablement un embryon mort.) Les oeufs commencent à se développer dans l'oviducte et arrêtent lorsqu'ils sont en contact avec l'air. Lorsque l'incubation commence, le développement reprend; la plupart des oeufs peuvent probablement rester en vie sans incubation pendant trois ou quatre semaines. Le développement de l'embryon dans l'oeuf est rapide. Le système vasculaire se développe d'abord et la respiration commence un jour ou deux avant l'éclosion; la respiration se fait à travers la coquille poreuse. L'oeuf devient plus léger pendant l'incubation à cause de l'évaporation de l'eau à travers la coquille; il devient aussi plus fragile.

Chez certaines espèces, le mâle et la femelle couvent les oeufs; chez les espèces où le mâle ne couve pas, souvent, il protège ou nourrit la femelle. (Certaines femelles quittent le nid pour aller chercher la nourriture, la fréquence variant selon les espèces.) La femelle du Chevalier branlequeue pond quatre oeufs et les laisse couver par le mâle pendant trois semaines, alors qu'elle cherche un autre mâle pour pondre sa deuxième couvée. Ensuite, elle repart à la recherche d'un autre partenaire. Elle peut pondre jusqu'à cinq couvées par saison. Ce comportement, aussi retrouvé chez les phalaropes et les oiseaux de rivage, peut être la conséquence du haut niveau de prédation.

Le comportement le plus intéressant relatif à l'incubation est celui du Manchot empereur. La femelle pond un oeuf unique en mai et laisse le mâle s'en occuper. Il place l'oeuf sur le dessus de ses pieds et le recouvre avec son corps pour le garder au chaud. D'autres mâles se rassemblent à ses côtés, couvant leur propre oeuf et s'entraidant pour garder leur chaleur dans une température glaciale. Il couve sans manger jusqu'à ce que l'oeuf éclose, perdant environ 11 kilos, le tiers de son poids, durant la période d'incubation de deux mois. Pendant ce temps, la femelle mange normalement; elle revient lorsque l'oeuf éclôt et se joint aux autres femelles, qui prennent soin des petits collectivement. Le mâle peut alors aller dîner.

Certains oiseaux développent une région nue sur la surface du ventre, ou plus bas, où les vaisseaux sanguins concentrés fournissent plus de chaleur pour les oeufs. On l'appelle le *coin de couvée* ou le *coin d'incubation*. Le mâle, s'il couve, développe aussi un coin d'incubation. Les canards et les oies font leur coin d'incubation en arrachant le duvet de leur corps, qui sert aussi à garnir le nid et à couvrir les oeufs lorsque les parents s'absentent. Chez les espèces où il n'y a pas de coin d'incubation, l'oiseau ébouriffe ses plumes afin que l'oeuf soit contre la peau. Pendant l'incubation, l'oiseau tourne l'oeuf avec son bec chaque fois qu'il arrive au nid pour couver.

La durée d'incubation varie. Tout comme la grosseur de l'oeuf, elle correspond à la taille de l'oiseau et au développement des oisillons. En fait, il y a deux types d'oisillons: les *nidifuges ou précoces* et les *nidicoles*. Les oiseaux nidifuges sont recouverts de duvet au moment de l'éclosion et ils peuvent quitter le nid le jour même. Ces oiseaux ont une période d'incubation plus longue que les oiseaux nidicoles, qui sont nus et aveugles à leur naissance. La température froide peut retarder l'éclosion d'un jour ou plus, chez les oiseaux nidifuges et nidicoles. La plupart des oiseaux attendent que tous les oeufs soient pondus pour commencer l'incubation. Les espèces qui commencent aussitôt que le premier oeuf est pondu ont des éclosions à différents moments.

On peut entendre du bruit à l'intérieur des coquilles de certains oiseaux un jour ou deux avant l'éclosion; il est intéressant de voir que le bruit cesse instantanément si un parent lance un cri d'alarme. L'éclosion peut prendre de quelques heures à deux jours. Les oeufs d'oiseaux aquatiques et de gibier à plumes éclosent en un coup; les oeufs de Passereaux éclosent dans une journée. Au fur et à mesure que l'éclosion approche, les parents deviennent excités.

Normalement, les parents n'aident pas le processus d'éclosion. Ils pourraient briser des vaisseaux sanguins en voulant aider. L'oisillon a des outils spéciaux pour sortir de sa coquille. Il utilise sa *dent de l'oeuf* pour briser la paroi. Il ne s'agit pas d'une vraie dent, bien sûr, mais plutôt d'une excroissance en forme de corne sur le bout de la mâchoire supérieure. Elle tombe quelques jours après l'éclosion. L'oisillon a aussi un *muscle d'éclosion* à l'arrière de la tête et du cou, qui donne plus de force à la dent de l'oeuf. Il disparaît aussi rapidement. Chez certaines espèces, les parents mangent les coquilles une fois l'éclosion terminée, mais la plupart les enlèvent, probablement à cause de leur forte odeur.

Le cas des vachers

Plusieurs amateurs d'oiseaux, apparemment des êtres humains en temps normal, perdent les pédales lorsqu'on mentionne les vachers. (Souvent, ils perdent aussi leur calme lorsqu'on parle d'Étourneaux sansonnets, de Moineaux domestiques, de Quiscales bronzés, de corneilles et de geais.) Même s'ils jugent ne pas adopter une attitude anthropomorphique, ces gens portent bel et bien des jugements moraux sur ces oiseaux. Comme pour tous les membres du royaume animal, à l'exception des humains, le concept de la moralité n'existe pas pour les oiseaux. En déposant leurs oeufs dans le nid d'une autre espèce, les vachers ne sont pas mauvais; ils se comportent comme des vachers. La survie, et non la vertu, motive la vie des oiseaux. C'est une question d'équilibre de la nature et non de jugement moral.

Le mot *parasite* a une connotation négative et, par conséquent, décrire le vacher comme un parasite social évoque toutes sortes d'images d'oiseaux en train de jouer de mauvais tours à des oiseaux moins malins. Sottises! Il s'agit simplement d'un autre mode de vie, d'un changement de comportement qui s'est avéré bénéfique pour les vachers.

Je suis agacée par de telles réactions face aux animaux; pourtant, je dois avouer que je porte moi-même un jugement anthropomorphique. Comme tout le monde, j'adapte mes critères afin qu'ils conviennent à mes préjugés et je tends personnellement à accepter les créatures comme elles sont et à m'émerveiller devant leurs comportements. Mon intérêt dans la défense des habitudes des autres habitants de la planète m'a amenée à faire une recherche plus approfondie sur les nuisibles vachers.

Il existe plusieurs sortes de vachers, dans trois genres: *Tangavius, Agelaiodes* et *Molothrus*. Parmi elles, plusieurs ne parasitent pas les nids d'autres oiseaux.

La Vacher à tête brune, des *Molothrus*, est le plus répandu en Amérique du Nord et le seul à nicher au Canada. Cette espèce utilise le nid de *195* autres espèces. Ces vachers migrent et sont considérés polygames, surtout le mâle. La femelle pond normalement cinq oeufs (un éleveur d'oisillons a rapporté 14 oeufs) et la période d'incubation est de 10 jours, ce qui est généralement plus court que la période d'incubation des hôtes. Le Vacher à tête brune n'est pas spécifique dans son parasitisme, mais il choisit toujours un nid où les oeufs sont plus petits que les siens. La femelle pond de quatre à six oeufs blancs avec des taches brunes, pas tous dans le même nid. (Il arrive que les oeufs se retrouvent dans un nid qui n'est pas approprié, c'est-à-dire un nid où les oisillons ne reçoivent pas la nourriture qui lui convienne.) La femelle échappe à l'attention de l'hôte en déposant ses oeufs lorsque l'oiseau est absent, souvent juste avant l'aube.

Le bébé vacher a une longueur d'avance sur les petits de l'oiseau qui l'élève. Son poids double la première journée après l'éclosion et il commence à ouvrir les yeux le quatrième jour (il les ouvre complètement le cinquième jour). Les plumes apparaissent le cinquième jour et le vacher a alors considérablement grandi et pris du poids. Les vachers oisillons mangent probablement une plus grande variété d'aliments que tous les autres oisillons. Les petits vachers ont besoin de nicher pendant 10 jours seulement, mais ils suivent leurs parents et quémandent pendant deux ou trois semaines une fois qu'ils ont quitté le nid. On a observé un petit Roitelet à couronne rubis nourrir un oisillon vacher, ainsi qu'une Paruline à dos noir et une Paruline de Grace.

Alors que les petits d'oiseaux non parasites s'accroupissent et demeurent silencieux lorsqu'un étranger s'approche du nid, les petits vachers quémandent de n'importe qui. Ils quémandent de leurs parents adoptifs pendant quelques semaines, puis ils quémandent d'autres oiseaux. Même une fois qu'ils savent voler, ils demeurent près du nid pendant quelques jours.

Il est faux de dire que les vachers perforent les oeufs des autres espèces. La théorie d'Audubon affirmait que les parents adoptifs des vachers négligent l'incubation de leurs propres oeufs en essayant de nourrir les oisillons éclos du vacher. Ainsi, leurs oeufs pourrissaient et les parents s'en débarrassaient. Il disait que les vachers sont différents du Coulicou européen, qui pousse les oisillons du parent adoptif hors du nid. Normalement, l'oiseau hôte est en mesure de sauver une partie de sa couvée.

Ce ne sont pas tous les récipiendaires d'oeufs de vachers qui les élèvent. Des 195 espèces ayant été rapportées comme accueillant des oeufs de Vachers à tête brune, 91 ont vraiment pris soin des petits. Le Viréo aux yeux rouges reconnaît parfois l'oeuf étranger et l'enlève de son nid; la Paruline jaune les reconnaît toujours et construit un autre nid par-dessus celui qui contient un oeuf de vacher (elle peut répéter la procédure jusqu'à huit fois pour échapper aux intrus). Il n'est pas rare de trouver plus d'un oeuf de vacher dans le même nid; on a découvert dans le nid d'un Moqueur polyglotte à San Benito (Texas) huit oeufs de vacher et deux oeufs de moqueur. On croit que les oeufs de vachers contenus dans un nid sont le produit de plusieurs femelles et non la couvée entière d'un seul oiseau.

Personne n'est certain sur la façon dont le parasitisme s'est développé chez les vachers, s'il s'agit d'un processus évolutif ou du résultat d'une mutation quelconque. Une théorie intéressante sur la façon dont les vachers ont commencé à déposer leurs oeufs dans le nid d'autres oiseaux, suggère qu'ils n'avaient pas le temps de couver leurs oeufs au même endroit parce que, par métier, ils suivaient les buffles. (On les a déjà appelés couramment les oiseaux de buffles.) Certains ornithologues pensent qu'ils n'étaient peut-être pas capables de distinguer un vieux nid d'un nid habité, même si la majorité des oiseaux le peuvent. (Bien sûr, la plupart des oiseaux construisent aussi leur propre nid.)

Ceux qui affirment que les vachers sont monogames font remarquer que ce comportement sous-entend qu'ils prenaient soin de leurs petits à l'origine. Encore aujourd'hui, certains genres de vachers couvent et nichent, mais la femelle perd de l'intérêt après avoir pondu et le mâle se charge de la protection des petits. Chez d'autres espèces de vachers, le mâle n'est pas protecteur et a un instinct territorial très faible, ce qui peut expliquer pourquoi les femelles utilisent des parents adoptifs.

LES OEUFS

Oiseau	Forme de l'oeuf	Texture de la coquille
Huart à collier	Ovale	Légèrement lustrée, épaisse, granuleuse
Bernache du Canada	Ovale[1]	Lisse ou légèrement rugueuse; épaisse; terne, non lustrée
Canard colvert	Longue et ovale	Lisse et un peu lustrée
Canard branchu	Ovale	Lisse et lustrée
Urubu noir	D'ovale à ovale allongée	Lisse, sans lustre
Urubu à tête rouge	Ovale allongée	Lisse ou finement granulée
Pygargue à tête blanche	D'ovale à ovale courte	
Balbuzard	Ovale, de courte à allongée	Lisse ou finement granulée
Colin de Virginie	Courte et en forme de poire, très pointue	Lisse, légèrement lustrée; coquille dure et résistante
Gélinotte huppée	Ovale, de courte à allongée	Lisse, légèrement lustrée
Faisan de chasse	D'ovale à ovale courte	
Dindon sauvage	Ovale, de courte à allongée, parfois pointue	Lisse, sans lustre

LES OEUFS (suite)

Couleur de base	Décoration	Qui couve
Verdâtre ou brunâtre	Points et taches épars, bruns ou noirs	Surtout la femelle
Blanc crème ou sale, ou vert jaunâtre terne		La femelle
Chamois pâle verdâtre ou de grisâtre à blanc		La femelle
Blanc crème, blanc terne ou chamois pâle		La femelle
Gris-vert, blanc bleuâtre ou blanc terne	Grandes taches ou points brun pâle ou lavande, couronne au bout large et recouvert de marbrures et de taches brun foncé	Les deux parents
Blanc terne ou crème	Points, taches et éclaboussures irréguliers, brun pâle recouvert de brun vif	Les deux parents
Blanc terne		Les deux parents
Blanc ou rose pâle	Taches ou picots d'un brun chaud ou rougeâtre	La femelle
Blanc crème ou terne		Les deux parents[2]
Chamois	Certains oeufs ont des taches brunâtres.	La femelle
Olive brunâtre riche ou olive chamois		La femelle
Chamois pâle ou blanc chamois	Oeuf marqué uniformément de taches ou de petits points brun rougeâtre ou chamois rosé	La femelle[3]

LES OEUFS

Oiseau	Forme de l'oeuf	Texture de la coquille
Pluvier kildir	D'ovale à en forme de poire et très pointue	Lisse, sans lustre
Bécasse d'Amérique	Ovale	Lisse, légèrement lustrée
Pigeon biset	D'ovale à elliptique	Lisse et lustrée
Colombe à queue noire	D'ovale à elliptique[5]	Lisse, légèrement lustrée
Tourterelle triste	D'ovale à elliptique	Lisse, légèrement lustrée
Effraie des clochers	Elliptique	Finement granulée, avec peu ou pas de lustre
Petit-duc maculé	D'elliptique à sphérique	Finement granulée et lustrée
Engoulevent bois-pourri	D'ovale à elliptique	Lisse et lustrée
Martinet ramoneur	D'ovale allongée à cylindrique	Lisse et lustrée
Colibri à gorge rubis (et autres colibris qui nichent au nord du Mexique)	Elliptique[8]	Lisse
Martin-pêcheur d'Amérique	D'ovale courte à elliptique	Lisse et lustrée
Pic flamboyant	D'ovale à ovale courte	Lisse et lustrée
Pic mineur	D'ovale à ovale courte	Lisse, sans lustre
Pic chevelu	D'ovale à elliptique	Lisse et lustrée
Grand Pic	D'ovale à elliptique, parfois pointue	Lisse et lustrée

LES OEUFS (suite)

Couleur de base	Décoration	Qui couve
Chamois	Taches, griffonnages et marbrures noirs ou brun foncé, parfois une couronne ou un capuchon	Les deux parents
Brun rosé	Points ou taches brun pâle recouverts de marques brun plus foncé	La femelle[4]
Blanc	Aucune	Les deux parents
Blanc	Aucune	Les deux parents
Blanc	Aucune	Les deux parents
Blanc	Aucune	La femelle[6]
Blanc	Aucune	Surtout ou exclusivement la femelle
Blanc	Taches et points gris irréguliers, recouverts de brun	La femelle
Blanc[7]	Aucune	Les deux parents, parfois simultanément
Blanc	Aucune	La femelle
Blanc	Aucune	Les deux parents
Blanc	Aucune	Habituellement le mâle pendant la nuit et les deux parents alternent pendant le jour[9].
Blanc	Aucune	Les deux parents
Blanc	Aucune	Les deux parents
Blanc	Aucune	Les deux parents

LES OEUFS

Oiseau	Forme de l'oeuf	Texture de la coquille
Pic à tête rouge	D'ovale à ovale courte	Lisse et lustrée
Tyran tritri	Ovale, de courte à allongée	Lisse et lustrée
Moucherolle phébi	Ovale	Lisse, sans lustre
Hirondelle des granges	D'ovale à ovale allongée	Lisse, sans lustre
Hirondelle bicolore	D'ovale à ovale allongée	Lisse, sans lustre
Hirondelle noire	D'ovale à ovale allongée	Lisse et légèrement lustrée
Grand Corbeau	D'ovale à ovale allongée	Légèrement rugueuse, sans lustre
Corneille	Ovale	Légèrement rugueuse, un peu lustrée
Geai bleu	Ovale	Lisse, légèrement lustrée
Geai de Steller		
Geai à gorge blanche (Floride et Rocheuses)	Ovale	Lisse, un peu lustrée
Casse-noix d'Amérique		
Mésange bicolore	D'ovale à ovale allongée	Lisse, sans lustre
Mésange à tête noire et Mésange minime	D'ovale à ovale courte	Lisse, un peu lustrée; coquille mince
Grimpereau brun	D'ovale à ovale courte[11]	Lisse, sans lustre

LES OEUFS (suite)

Couleur de base	Décoration	Qui couve
Blanc	Aucune	Les deux parents
Blanc crème	Taches brunes, noires et lavande abondantes ou irrégulières; parfois couronné	La femelle
Blanc	Un ou deux peuvent avoir des taches éparses.	La femelle
Blanc	Taches et points bruns	Les deux parents
Blanc	Aucune	La femelle
Blanc	Aucune	La femelle
Verdâtre	Marques brunes ou olive de différentes formes	La femelle
Vert bleuâtre ou grisâtre	Taches et points irréguliers, bruns ou gris	Les deux parents
Olive ou chamois	Points, taches et marbrures brun foncé ou grisâtres	Les deux parents
Bleu-vert pâle	Taches brunes, pourpres et olive	Les deux parents
Verdâtre	Taches ou picots irréguliers de couleur brune ou cannelle; couronne	La femelle
Verdâtre pâle	Points minuscules bruns ou olive	
Blanc ou crème	Petits points bruns espacés uniformément, surtout au bout plus large	La femelle ou les deux parents (sources contradictoires)
Blanc	Taches et picots brun rougeâtre, concentrés au bout plus large	La femelle[10]
Blanc ou crème	Fins picots brun rougeâtre; parfois couronne	Les deux parents

LES OEUFS

Oiseau	Forme de l'oeuf	Texture de la coquille
Sittelle à poitrine blanche	D'ovale à ovale courte	
Sittelle à poitrine rousse		
Troglodyte familier	D'ovale à ovale courte	Lisse, légèrement lustrée
Troglodyte de Caroline		
Troglodyte de Bewick		
Moqueur de Californie		
Moqueur roux		Lisse, légèrement lustrée
Moqueur chat	D'ovale à ovale courte	Lisse et lustrée
Moqueur polyglotte	Ovale	Habituellement lisse et légèrement lustrée
Merle d'Amérique	Ovale	Lisse, légèrement lustrée (devient très lustrée pendant l'incubation)
Merle-bleu de l'Est	Ovale	Lisse et lustrée
Jaseur des cèdres	Ovale	Lisse, sans lustre

LES OEUFS (suite)

Couleur de base	Décoration	Qui couve
Blanc crème	Certains oeufs sont fortement marqués, surtout au bout large, de points brun rougeâtre.	La femelle[12]
Blanc	Points brun rougeâtre, moins marqués que les oeufs de la Sittelle à poitrine blanche	Surtout la femelle[12]
Blanc	Petits grains denses, rougeâtres ou brun clair, surtout au bout large	La femelle[13]
Crème ou rosé	Gros points brun rougeâtre	Surtout la femelle
Blanc	Points fins brun rougeâtre	Surtout la femelle[12]
Bleu-verdâtre pâle	Mouchetures brunes	Les deux parents
Blanchâtre avec une teinte de bleu ou de vert	Taches ou picots uniformes et brun rougeâtre	Les deux parents[14]
Bleu verdâtre	Aucune	La femelle[15]
Vert bleuâtre	Plusieurs points ou taches brun rougeâtre; couronne à l'occasion; oeufs parfois plus pâles ou plus foncés, peut-être gris chamois, avec des points jaunes, gris, chocolat et pourpres	La femelle
Bleu	Aucune	La femelle[16]
Bleuâtre, blanc bleuâtre ou blanc pur	Aucune	La femelle
Gris pâle	Taches brunes légères et irrégulières; marbrures gris brunâtre	La femelle

LES OEUFS

Oiseau	Forme de l'oeuf	Texture de la coquille
Étourneau sansonnet	Ovale, de courte à allongée	Lisse, légèrement lustrée
Paruline à croupion jaune		
Moineau domestique	D'ovale à ovale allongée	Lisse, légèrement lustrée
Carouge à épaulettes	Ovale	Lisse et lustrée
Oriole du Nord	Ovale	Lisse, légèrement lustrée
Oriole des vergers		
Vacher à tête brune	Ovale	Granulée et lustrée
Quiscale bronzé		
Tangara écarlate[20]	D'ovale à ovale courte	Lisse et lustrée
Cardinal rouge	Ovale	Lisse et lustrée
Cardinal à poitrine rose		
Passerin indigo[20]	D'ovale à ovale courte	Lisse, légèrement lustrée
Chardonneret jaune	D'ovale à ovale courte	Lisse, un peu lustrée

LES OEUFS (suite)

Couleur de base	Décoration	Qui couve
Blanc pâle verdâtre ou bleuâtre		Les deux parents
Blanc	Grains bruns et pourpres	La femelle
Blanc ou blanc verdâtre	Taches et points gris	La femelle[17]
Vert bleuâtre pâle	Taches, picots, marbrures et griffonnages bruns, pourpres et noirs, surtout au bout large	La femelle
Blanc pâle bleuâtre ou grisâtre	Rayures, marbrures et taches irrégulières brunes, lavande et noires, surtout au bout large	La femelle
Blanc bleuâtre	Plusieurs taches brunes, pourpres et lavande au bout large	La femelle[18]
Blanc ou grisâtre	Picots bruns uniformes, surtout au bout large	L'oiseau hôte[19]
Blanc pâle verdâtre ou brun-jaune pâle	Taches, rayures et picots brun foncé et pourpres	Les deux parents dans l'est et le sud; la femelle ailleurs
Bleu ou vert pâle	Picots, taches et marbrures irrégulières et bruns, surtout au bout large; parfois un capuchon	La femelle
Bleu grisâtre, ou blanc verdâtre	Picots, taches et éclaboussures, parfois nombreux, bruns, gris et pourpres	La femelle
Vert bleuâtre ou grisâtre	Taches et marbrures lilas et brunes[21]	Les deux parents
Blanc ou blanc pâle bleuâtre		Surtout la femelle
		La femelle[12]

LES OEUFS

Oiseau	Forme de l'oeuf	Texture de la coquille
Roselin familier	Ovale	Lisse, légèrement lustrée
Chardonneret des pins		
Tohi à flancs roux	D'ovale à ovale courte	Lisse, légèrement lustrée
Junco ardoisé	Ovale	Lisse, légèrement lustrée
Bruant des plaines Bruant familier	D'ovale à ovale courte	Lisse, légèrement lustrée
Bruant chanteur	D'ovale à ovale courte	Lisse, légèrement lustrée
Bruant à couronne blanche		
Bruant à gorge blanche		

NOTES

1. 9 cm x 6,5 cm.
2. Les couvées peuvent contenir jusqu'à 20 oeufs. Un nid avec 37 oeufs a été rapporté, mais il était peut-être occupé par deux femelles.
3. On a trouvé jusqu'à 20 oeufs dans un nid; peut-être l'oeuvre de plus d'une femelle.
4. La femelle peut abandonner le nid si elle est dérangée.
5. Deux oeufs, pondus à 36 heures d'intervalle.
6. La femelle commence à couver tout de suite; les oeufs éclosent à différents moments, entre 21 et 34 jours d'intervalle.
7. La Martinet sombre, le Martinet de Vaux et le Martinet à gorge blanche pondent tous des oeufs blancs.
8. Deux oeufs de la grosseur d'un pois, pondus à 48 heures d'intervalle.
9. Les oeufs sont pondus entre 5 et 6 heures du matin.
10. Si la femelle est dérangée au nid, elle ébouriffe ses plumes, sifflant et oscillant comme un serpent, le bec ouvert.
11. Semblable aux oeufs de mésanges.
12. Le mâle nourrit la femelle.

LES OEUFS (suite)

Couleur de base	Décoration	Qui couve
Vert pâle bleuâtre	Quelques taches et picots noirs	La femelle
Vert pâle bleuâtre	Grains et taches pourpres ou noirs au bout large	
Blanc crème grisâtre ou rosé	Picots et taches fines, brun rougeâtre et uniformément répartis; couronne ou capuchon au bout large	La femelle[22]
Blanc pâle bleuâtre ou grisâtre	Picots, taches et parfois marbrures bruns, pourpres et gris, surtout au bout large	La femelle ou les deux parents (Les experts ne s'entendent pas.)
Vert pâle bleuâtre	Picots, taches et marbrures brun foncé, noirs et pourpres, surtout au bout large	Habituellement la femelle
Blanc verdâtre	Plusieurs picots, taches et marbrures brun roux et pourpres, parfois mêlé de gris[23]	La femelle
Blanc verdâtre ou bleuâtre	Plusieurs taches brun rougeâtre ou pourpres, avec une allusion de couronne	La femelle
Blanchâtre, bleuâtre ou vert	Taches brun rougeâtre	La femelle

13. L'incubation dure entre 12 et 15 jours, habituellement 13.
14. La femelle passe trois fois plus de temps au nid que le mâle; ils élèvent parfois un vacher.
15. Les oeufs sont plus verts et plus petits que les oeufs de Merle d'Amérique; les Moqueurs chats rejettent les oeufs de vachers.
16. Les Merles d'Amérique rejettent les oeufs de vachers.
17. La période d'incubation dure 12 ou 13 jours; parfois, de 10 à 12 jours seulement.
18. Le mâle nourrit la femelle; les Orioles des vergers nichent dans le même arbre que les tyrans.
19. Peut pondre trois ou quatre couvées; l'incubation prend 11 ou 12 jours.
20. Fréquemment parasités par les vachers.
21. Les oeufs ressemblent à ceux du Tangara écarlate, mais ils sont plus gros et plus marqués; le mâle nourrit la femelle lorsqu'elle couve.
22. Si elle est trop dérangée, la femelle utilise la tactique de l'aile traînante pour éloigner du nid l'attention de l'intrus.
23. Variation considérable dans l'apparence des oeufs.

7 LES OISILLONS

UNE FOIS LES OEUFS ÉCLOS, la plupart des parents ont énormément de pain sur la planche. Nourrir les petits peut exiger de leur part une activité presque continue. En plus, ils doivent nettoyer le nid et le protéger des intrus. Le temps pendant lequel ils doivent couver — soit garder les oisillons au chaud dans le nid — dépend des circonstances ainsi que de l'espèce.

Ce que les parents doivent fournir aux oisillons varie considérablement. Les petits nidifuges (ou précoces) qui ont du duvet et l'habileté de marcher à l'éclosion trouvent une partie ou la totalité de leur alimentation. Ces oiseaux se nourrissent en grattant ou en cherchant leur nourriture. Les oiseaux nidicoles doivent attendre que les primaires des ailes poussent. Chez les oiseaux nidicoles, considérés moins primitifs que les oiseaux nidifuges, la vie au nid peut durer de huit jours jusqu'à huit mois. Le temps requis peut être influencé par la température et la nourriture disponible ainsi que par la grosseur de l'oisillon et son développement au moment de l'éclosion. Avec une température clémente et une nourriture abondante, les petits peuvent quitter le nid plus rapidement. Cependant, une pluie prolongée menace les oisillons nouvellement éclos en leur donnant froid ou en réduisant leur source alimentaire.

Les parents eux-mêmes peuvent être une menace, surtout chez les oiseaux où les éclosions sont espacées. Le premier oisillon éclos a tendance à capter toute l'attention et les autres peuvent être négligés, ou même mangés, comme il arrive chez les fous, les pélicans, les cigognes, les aigles et les chouettes.

La fréquence des becquées varie selon les espèces. Les oiseaux chanteurs peuvent nourrir leurs petits toutes les demi-heures ou jusqu'à 40 fois par heure, alors que les jeunes albatros sont nourris seulement de deux à cinq fois par semaine. En général, plus l'espèce est petite, plus elle doit être nourrie souvent; c'est une question de métabolisme. Les Passereaux peuvent manger quotidiennement l'équivalent de la moitié de leur poids corporel.

Il est intéressant d'observer les oiseaux se nourrir. Certains oiseaux nourrisent leurs petits à partir de leur jabot, une poche qu'on retrouve chez les Gallinacés et les colombes mais qui est absente chez les autres familles. Le jabot, où la nourriture séjourne temporairement avant d'être digérée ou régurgitée, s'ouvre sur la gorge ou l'œsophage. Le «lait de pigeon» est le mélange gras sécrété par les parois du jabot. Le Roselin brun transporte la nourriture dans les poches des joues, qui donnent sur la bouche. Les colibris entrent leur bec dans la gorge des petits et injectent en quelque sorte la nourriture. Certains observateurs disent que cela ressemble à une chirurgie. Les buses et les chouettes transportent la nourriture avec leurs pattes.

Les oiseaux chanteurs mâles délaissent habituellement la défense de leur territoire et participent eux aussi aux soins des oisillons. Chez certaines espèces, notamment les geais, les oiseaux célibataires aident également. Un point intéressant: au début les parents ne reconnaissent pas leurs propres petits (les petits ne les reconnaissent pas non plus). Il n'est pas rare de voir un oiseau chanteur transporter de la nourriture pour ses petits et la donner au premier oisillon qu'il voit quémander, même s'il est d'une autre espèce.

La plupart des oiseaux gardent leur nid salubre en enlevant les excréments (au début, les parents peuvent les avaler), mais certains nids sont notoirement négligés. Les hirondelles et les moucherolles ont des nids sales et les colombes sont de très mauvaises ménagères.

Afin d'éloigner les intrus de leurs oeufs ou de leurs petits, plusieurs oiseaux utilisent un *comportement de distraction*. Une des méthodes consiste à feindre une blessure, comme le fait le Pluvier kildir. Il traîne une aile sur le sol, essayant d'attirer les prédateurs vers lui alors qu'il s'éloigne du nid. Les autres pluviers et les tétras font de même. La Colombe à queue noire feint aussi une blessure en traînant de l'aile pour éloigner les prédateurs. Lorsqu'ils se considèrent assez éloignés du nid, ils partent en volant. Les mésanges font la «parade du serpent» où, à l'entrée du nid, elles ouvrent le bec et partiellement leurs ailes en se balançant lentement d'avant en arrière. Soudain, elles sautent, sifflent et tapent sur les côtés de la cavité avec leurs ailes. Le moins qu'on puisse dire, c'est qu'il s'agit d'une performance saisissante.

Il est possible que les parents poussent les petits à quitter le nid le plus vite possible dans l'espoir de déjouer les prédateurs, du moins en évitant que tous les petits soient détruits en même temps. En passant, si un petit tombe du nid, on peut l'y remettre. Selon la société Audubon, les parents n'abandonneront pas leur petit parce qu'on l'a touché. Couvrez le nid avec votre main jusqu'à ce que le calme soit rétabli. Si le nid entier tombe, essayez de le replacer.

On dit qu'un oisillon a ses plumes lorsqu'il a son plumage juvénile ou qu'il fait son premier vol. Les oisillons sont alors encore très dépendants de leurs parents et ils deviennent autonomes graduellement. Le fait qu'ils se nourrissent eux-mêmes ou qu'ils quémandent dépend de leur faim. Même si vous pouvez voir un oiseau de la grosseur de ses parents les suivre et demander de la nourriture, observez bien et vous verrez que lorsque maman nourrit ses frères et soeurs, il ira chercher sa propre nourriture. Avec le temps, les parents semblent se fatiguer et les petits sont laissés à eux-mêmes.

Si vous rencontrez un oisillon qui semble en détresse, la meilleure chose à faire est de le laisser tranquille. Malgré les apparences, ses parents sont probablement tout près et ils s'en occuperont. Vous pouvez aider en essayant d'éloigner les chats et les chiens. Si vous déplacez l'oisillon pour l'amener dans un endroit plus sûr, cela n'empêchera pas les parents d'en prendre soin, pas plus que de toucher à un nid ne provoque sa désertion. Cependant, si un oiseau est vraiment abandonné (ce qui n'est pas facile à déterminer), il a besoin de bien plus que ce que vous êtes peut-être prêt à donner: chaleur, protection du soleil direct et de la pluie forte, alimentation fréquente.

Il n'est pas facile de prendre soin d'un oisillon. Soyez certain de pouvoir le faire et de vouloir continuer régulièrement, avant de commencer à le nourrir. Si vous choisissez un jour de vous lancer dans cette aventure, vous pouvez donner à un oiseau omnivore de la nourriture en boîte pour chien et du foie de boeuf cru, des morceaux d'oeufs durs, des vers de terre et des morceaux de fruits, en utilisant des pinces ou un petit pinceau. Les oisillons granivores ont besoin de terre, de charbon ou de graines concassées pour digérer les graines. Laissez l'oiseau obtenir son liquide dans la nourriture. Humectez les aliments; n'essayez pas de lui mettre du liquide dans la gorge. Il faut énormément de patience et beaucoup de temps.

Cas particuliers

Les oisillons de la Bernache du Canada sont nidifuges; ils quittent donc le nid peu après l'éclosion. Cependant, le duvet n'offre pas la même protection que les plumes et les parents couvent les petits la nuit et quelques heures pendant la journée. Les oisillons dépendent de leurs parents uniquement pour leur protection.

Les Canards colverts demeurent aussi dans le nid pour une journée ou moins; le deuxième jour, les petits sont amenés sur l'eau. Ils peuvent voler après de 50 à 60 jours. La vie des Canards branchus est un peu plus compliquée. Ils ont des serres pointues qui leur permettent de grimper du nid au trou d'entrée, une distance de 1,2 à 2,5 mètres. Certains observateurs croient que la femelle les transporte dans son bec jusque sur l'eau, mais la plupart pensent que les parents encouragent les petits à quitter le nid et les conduisent vers l'eau.

La Crécerelle d'Amérique couve ses petits pendant 30 jours; les deux parents ont un coin d'incubation. Les petits éclosent dans une période de trois ou quatre jours. À partir du neuvième jour, la femelle en prend soin la nuit seulement. Jusque-là, le mâle apporte la nourriture; la femelle s'en charge par la suite. Les petits ont des plumes après 14 jours; les jeunes sont actifs, mais ils quémandent encore leurs parents.

Les Goélands argentés éclosent aussi sur une période de trois jours ou plus. La femelle couve les premiers jours. Pendant cinq semaines, les deux parents nourrissent les petits en régurgitant. Les prédateurs les plus courants des oisillons et des oeufs sont les autres goélands.

Les Tourterelles tristes sont des parents dévoués: elles prennent soin des petits, qui sont aveugles, nus et sans défense à l'éclosion, jusqu'à ce qu'ils aient leurs plumes, après 14 ou 15 jours. Le mâle s'en occupe huit heures par jour; la femelle, le reste du temps. Les petits sont nourris de lait de pigeon par les deux parents; ces derniers referment leur bec sur celui de l'oisillon et «pompent» la sécrétion dans l'oisillon pendant 15 à 60 secondes. Plus tard, ils leur donnent des graines, des vers de terre et des insectes.

La Tourterelle tigrine est d'abord nourrie avec du lait de pigeon et, plus tard, avec de la nourriture partiellement digérée, régurgitée du jabot des parents. Les oisillons mangent uniquement de la nourriture transformée jusqu'à ce qu'ils quittent le nid; ils commencent alors à manger des graines. Les Colombes inca s'occupent de leurs petits pendant 14 jours: la femelle couve de la fin de l'aprèsmidi jusqu'au matin, et le mâle, du matin jusqu'à la fin de l'aprèsmidi. Une fois que les oisillons quittent le nid, les parents les nourrissent pendant une semaine puis commencent une deuxième couvée; les jeunes se joignent à d'autres jeunes.

Les Pigeons bisets demeurent dans le nid pendant 14 jours; ils sont nourris de lait de pigeon, de nourriture régurgitée et plus tard d'insectes et de fruits. Ils reçoivent peu ou pas de nourriture de leurs parents avant d'avoir leurs plumes; même s'ils quémandent, ils obtiennent peu de résultats. Pour sa part, la Colombe à queue noire couve ses petits entre 14 et 16 jours.

Les deux parents Martinets ramoneurs couvent les petits pendant une période allant de 14 à 19 jours. Les deux nourrissent aussi les oisillons, d'abord avec des insectes régurgités, ensuite avec une boulette d'insectes collée avec une substance semblable à de la salive sécrétée par les parents. Les petits apprennent à voler lorsqu'ils ont de 14 à 18 jours; ils dépendent encore quelque temps de leurs parents pour l'alimentation et demeurent près du nid. Ils finissent par voler et par attraper leur propre nourriture.

La femelle du Colibri roux assume seule les responsabilités de construire le nid, de couver les oeufs, de prendre soin et de nourrir les petits pendant une période de 20 jours. La femelle du Colibri d'Anna et celle du Colibri à gorge noire couvent pendant 21 jours; les petits sont nourris avec de petits insectes.

Les oisillons du Pic flamboyant produisent un bourdonnement lorsqu'ils sont dans le nid. Ils sont nourris avec de la nourriture régurgitée. Pendant les 10 premiers jours, les parents mangent les excréments; ensuite, ils les enlèvent et les jettent loin du nid. Le mâle couve la nuit, pendant une période de 25 à 28 jours. L'oisillon qui a ses plumes peut demeurer avec ses parents pendant deux ou trois semaines, recevant encore de la nourriture d'eux.

Le Pic à ventre roux couve les petits 14 ou 15 jours, de même que le Pic mineur. Les oisillons mangent des insectes à partir du quatrième ou du cinquième jour, mais ils reçoivent probablement de la nourriture régurgitée auparavant. Les oisillons font un bruit qui ressemble à celui des abeilles dans le nid. Le Pic chevelu couve les petits pendant trois ou quatre jours et en prend soin jusqu'à ce qu'ils aient leurs plumes.

La période de nidification du Tyran tritri varie de 14 à 17 jours. Seule la femelle nourrit les petits les premiers jours; ensuite, les deux parents se partagent la tâche. Ils transportent les excréments et les laissent tomber sous un perchoir. Les oisillons peuvent voler après deux ou trois semaines et la famille demeure ensemble jusqu'à la migration.

Les hirondelles volent en deça de trois semaines après l'éclosion, et elles volent adroitement aussitôt qu'elles quittent le nid. Les parents les nourrissent d'insectes en les forçant dans la gorge jusqu'à ce qu'ils attrapent leurs propres insectes au vol. Si la température est mauvaise (donc trop froide pour les insectes), les Hirondelles

La femelle du Canard branchu conduisant ses petits.

des granges quittent simplement le nid. Lorsqu'elles reviennent, elles expulsent les cadavres et recommencent à neuf. Une seule nichée d'hirondelles peut manger plusieurs milliers d'insectes quotidiennement. L'Hirondelle bicolore couve les oisillons pendant les trois premiers jours; les petits demeurent au nid pendant trois semaines. Les deux parents les nourrissent et enlèvent les excréments, qu'ils laissent tomber dans l'eau si possible. Les oisillons ont des plumes après deux ou trois semaines.

Parce que les corneilles commencent à couver dès que le premier oeuf est pondu, l'éclosion se fait sur une période de quelques jours. Les parents se partagent l'incubation et les soins des petits. La femelle couve les petits pendant les premiers dix jours des cinq semaines qu'ils passent au nid; les deux parents les nourrissent. Pendant la période d'élevage d'environ deux semaines, les petits suivent leurs parents et quémandent.

Les geais ont des habitudes domestiques intéressantes. Les jeunes reviennent de leur migration et se trouvent une place dans la volée de leurs parents. Le Geai à gorge blanche de la Floride niche un couple par chêne et les jeunes doivent attendre qu'un adulte meurt pour réclamer le chêne pour eux-mêmes. Entre-temps, ils aident leurs parents avec les couvées et ils ne s'accouplent pas. La femelle du Geai bleu couve les oisillons pendant quelques jours. Les deux parents les nourrissent; le mâle nourrit aussi la femelle. Les Geais de Steller demeurent dans le nid pour une période de 18 à 21 jours.

Les Casse-noix d'Amérique nourrissent leurs petits en régurgitant. Les oisillons demeurent dans le nid de 18 jours à quatre semaines.

Pendant les 15 ou 16 jours de la période d'élevage, la femelle de la Mésange bicolore couve les petits et le mâle nourrit la femelle lorsque celle-ci est au nid. Les deux parents nourrissent les petits. De même, les deux parents de la Mésange minime et ceux de la Mésange à tête noire nourrissent les petits pendant 16 ou 17 jours. La femelle couve pendant les premiers jours et le mâle la nourrit. Lorsque les petits ont des plumes, ils suivent leurs parents pendant quelques semaines, mais après environ 10 jours, les parents arrêtent de les nourrir. Ces derniers finissent par chasser les petits, qui se trouvent alors un petit territoire et le défendent en chantant faussement. On croit que les Mésanges de Gambel nourrissent leurs petits en régurgitant pendant les premiers jours. Les mésanges font partie des oiseaux qui acceptent la nourriture des humains, mais il faut de la patience pour essayer de les nourrir.

Les petits de la Sittelle à poitrine blanche demeurent au nid pendant deux semaines; ceux de la Sittelle à poitrine rousse y restent trois semaines. Les Troglodytes de Bewick restent au nid pendant deux semaines et ils sont nourris par les deux parents. Une fois qu'ils ont leurs plumes, ils reçoivent les soins de leurs parents pendant deux semaines, et sont autonomes par la suite. Les Troglodytes familiers nichent pendant 16 ou 17 jours et ils sont couvés les trois premiers jours. Pendant ce temps, le mâle nourrit la femelle et la femelle nourrit les petits. Lorsque la femelle arrête de couver, les deux parents nourrissent les petits et transportent les excréments. Après avoir nourri les oisillons pendant une ou deux semaines, la femelle quitte et recommence une nouvelle couvée; le mâle continue à nourrir ses oisillons. Le Troglodyte de Caroline suit le même processus.

Les parents du Moqueur roux mangent les excréments pendant les huit premiers jours de la période d'élevage de 11 jours et les laissent ensuite tomber loin du nid. Les deux parents nourrissent les petits. Le mâle prend soin des petits jusqu'à ce qu'ils aient des plumes alors que la femelle construit un nouveau nid; il l'aide ensuite à prendre soin de la deuxième couvée. Les oisillons du Moqueur de Californie sont alimentés de nourriture régurgitée pendant les trois premiers jours des 12 à 14 jours où ils demeurent au nid.

La femelle du Moqueur chat couve les oisillons les premiers jours. Les parents mangent les excréments pendant la première moitié de la période d'élevage, soit de 9 à 16 jours, et les enlèvent du nid pendant la deuxième moitié. Les oisillons se perchent près du nid pendant les premiers jours et sont nourris par les deux parents. Parfois le mâle les nourrit seul alors que la femelle commence une nouvelle famille. Les deux parents du Moqueur polyglotte nourrissent les petits pendant environ 12 jours; les petits ont des plumes après deux à quatre semaines.

Les oisillons du Merle d'Amérique demeurent habituellement dans le nid pendant environ 13 jours, mais cette période peut varier de 9 à 16 jours. Les deux parents nourrissent les petits et utilisent la tactique de l'aile traînante pour détourner les gens qui approchent du nid. Ils avalent les excréments. Les petits prennent habituellement deux semaines avant d'avoir des plumes, mais ils peuvent prendre jusqu'à quatre semaines. Même s'ils continuent à quémander, ils sont surtout sous la responsabilité du mâle, car la femelle commence alors une seconde couvée, construisant parfois un nouveau nid (quelquefois par-dessus l'ancien) ou rénovant un vieux nid. Ils se rassemblent en grandes volées après l'élevage et ils s'amusent à assaillir les corneilles.

Un Pluvier kildir traînant de l'aile.

La femelle de la Grive des bois, qui a un coin d'incubation de couleur rouge sang, couve ses oisillons seule. Les deux parents nourrissent les jeunes, qui restent dans le nid pendant 12 ou 13 jours; ils avalent ou enlèvent les excréments. Les oisillons quémandent de la nourriture jusqu'à ce qu'ils aient 32 jours. La Grive solitaire accueille quelquefois un petit de vacher. Les oisillons demeurent habituellement au nid pendant 12 ou 13 jours et il peut y avoir de une à trois couvées.

Le Merle-bleu de l'Est, qui élève deux ou trois couvées par année, nourrit ses oisillons avec des insectes pendant environ deux semaines. Tous les merles-bleus ont une vue exceptionnelle et ils chassent à partir d'un perchoir. Le Merle-bleu azuré voltige comme un colibri lorsqu'il chasse.

Les petits de pies-grièches volent après 15 jours. Auparavant, la femelle les couve et le mâle chasse les insectes pour eux. La Pie-grièche migratrice adulte empale ses victimes sur des épines ou les enfonce parfois dans une crevasse pour les déchirer à sa guise. Elle tue des vertébrés en les frappant à l'arrière du cou et, grâce à sa méthode de chasse, elle peut s'attaquer aux petits rongeurs et aux oiseaux aussi gros que les Moqueurs polyglottes.

Les oisillons des Étourneaux sansonnets sont nourris par leurs parents pendant 16 à 33 jours, mais ils ont des plumes après seulement quatre à huit jours. Pendant cette période, ils quémandent sans cesse, réussissant à avoir l'air sans défense malgré leur taille presque adulte.

La femelle du Viréo aux yeux rouges couve ses oisillons durant six jours; ceux-ci demeurent dans le nid pendant 10 jours. Elle mange d'abord les excréments, ensuite elle les jette. Les petits ont des plumes après une période de deux ou trois semaines, pendant que la famille recherche de la nourriture. Les petits de la Paruline à croupion jaune restent dans le nid pendant 12 à 14 jours.

Les deux parents de la Paruline masquée, souvent parasitée par les vachers, nourrissent leurs oisillons pendant huit ou neuf jours. Le mâle donne parfois la nourriture à la femelle, qui la distribue aux petits. Les oisillons commencent à avoir des plumes deux ou trois semaines avant de pouvoir voler. Trois jours plus tard, ils peuvent voler un peu et après 12 jours, ils sont de vrais experts! Ils quittent leurs parents au bout d'environ 20 jours.

La femelle du Moineau domestique développe un coin d'incubation. Les deux parents nourrissent les petits pendant la période d'élevage de 15 à 17 jours; environ 60 p. cent du temps, ils ont de l'aide d'un oiseau célibataire. Leur alimentation est constituée principalement d'insectes et les petits consomment d'abord de la nourriture régurgitée. Leurs principaux prédateurs sont les corneilles et les geais. La période d'élevage dure environ une semaine, pendant laquelle les petits quémandent, accompagnant leurs demandes de battements d'ailes.

C'est surtout la femelle du Carouge à épaulettes qui prend soin des oisillons pendant les 11 jours qu'ils passent au nid. Elle donnera des coups d'ailes — avec une ou deux ailes — à ceux qui s'approchent du nid. Les deux parents nourrissent les petits jusqu'à ce que ceux-ci puissent voler; ils commencent par ramper hors du nid pour se percher tout près. Ce stade dure de sept à dix jours.

L'Oriole du Nord donne des insectes à ses petits, d'abord en les régurgitant. Les oisillons restent dans le nid deux semaines, tout comme les petits de l'Oriole des vergers.

Le Quiscale bronzé mange ou enlève les excréments. Le mâle aide la femelle à nourrir les oisillons pendant les 12 jours où ils demeurent dans le nid seulement s'il n'a pas trouvé une nouvelle partenaire. On se demande s'il y a une période d'élevage chez les quiscales; s'il y en a une, elle est très brève. Les petits sont nourris par un parent ou les deux.

Les Tangaras vermillons nourrissent leurs oisillons pendant sept à dix jours, le mâle aidant. Les Tangaras à tête rouge restent de 13 à 15 jours dans le nid. Les parents du Cardinal rouge nourrissent leurs petits pendant neuf ou dix jours, mangeant les excréments durant les quatre ou cinq premiers jours et les transportant par la suite. Le mâle surveille les oisillons pendant environ trois semaines alors que la femelle niche à nouveau.

Les petits du Gros-bec errant demeurent dans le nid de 14 à 16 jours; ceux du Dickcissel y restent de 10 à 12 jours. Les deux parents du Roselin familier nourrissent les petits, durant 12 à 14 jours, avec des insectes et des baies.

Les Chardonnerets jaunes nourrissent leurs petits avec des graines régurgitées, le mâle donnant la nourriture à la femelle pour les oisillons. Ceux-ci demeurent dans le nid de 11 à 15 jours. Pendant la période d'élevage, qui dure jusqu'à un mois, le mâle nourrit directement les petits. La femelle est habituellement en train de nicher à nouveau.

Le Tohi à flancs roux reste dans le nid de 10 à 12 jours et le mâle aide à nourrir les petits. Les petits Juncos ardoisés passent 12 jours dans le nid. Le parents du Bruant chanteur couvent leurs petits les cinq premiers jours des huit à dix jours qu'ils restent dans le nid. Ils les nourrissent d'insectes. Les petits se débrouillent après trois semaines; pendant la première semaine, les petits ne volent pas bien. Les deux parents les nourrissent aussi à ce stade, à moins que la femelle ne commence une autre nichée. Dans ce cas, le mâle s'en occupe seul.

Le Bruant familier est l'hôte préféré des Vachers à tête brune. Les oisillons du Bruant familier demeurent dans le nid neuf ou dix jours, tout comme les petits du Bruant des champs. La période d'élevage des Bruants fauves est de 11 à 13 jours. Les Bruants à gorge blanche restent dans le nid de 12 à 14 jours et sont nourris par les deux parents.

Ce que nous savons des soins donnés aux oisillons est incomplet. Il reste beaucoup d'informations à rassembler. Si vous voulez y participer, prenez vos jumelles et trouvez-vous un endroit confortable d'où vous pourrez espionner les nichées d'oiseaux.

8 LA PRÉPARATION POUR L'HIVER

CETTE ACTIVITÉ frénétique des oiseaux vise la perpétuation des espèces. Tout doit être exécuté selon un certain horaire. Les oiseaux ne migrent pas tous; ceux qui demeurent sous un climat tempéré se préparent à affronter les changements de saison. Les jeunes oiseaux d'espèces migratrices doivent avoir la maturité suffisante pour le long voyage; les jeunes des espèces qui errent ou qui résident dans un habitat estival, doivent posséder la maturité suffisante pour passer l'hiver. Dans les deux cas, c'est une question de plumes. Les petits d'une saison de reproduction doivent avoir suffisamment de temps pour développer les plumes nécessaires pour protéger leur peau de la pluie et du froid, et pour voler.

Les oiseaux adultes muent, c'est-à-dire qu'ils perdent des plumes et en ont des nouvelles. Certains muent une fois l'an, d'autres plus souvent. Chez la plupart des oiseaux, la mue n'est pas un phénomène fascinant à observer; en fait, elle passe habituellement inaperçue, sauf dans quelques cas plus évidents comme chez le Canard colvert, l'Étourneau sansonnet et le Chardonneret jaune.

Les Canards colverts ont deux mues. Vers le début ou le milieu de l'été, ils perdent les plumes du corps (et non les plumes de vol), qui sont remplacées par un *plumage éclipse*, appelé ainsi parce que les couleurs distinctives du canard sont temporairement absentes. Pendant cette période, le mâle passe aussi inaperçu que la femelle, à qui il ressemble beaucoup. (Parce que la femelle n'a pas de plumage coloré au départ, elle ne peut pas avoir un plumage éclipse.) À la fin de l'été, le Canard colvert a fini de muer.

Les Étourneaux sansonnets muent de juillet à septembre et leur mue est aussi étonnante que celle du Canard colvert. Leur nouvelle livrée aux pointes blanches leur donne une apparence mouchetée, au lieu du plumage lustré chatoyant qu'ils ont durant la pariade. Même leur bec change de couleur. Les mâles ont un bec jaune vif, qui devient bleuâtre pendant la saison d'accouplement; le bec jaune pâle de la femelle devient alors rosé. Après la mue, leurs becs sont gris.

Les Chardonnerets jaunes muent complètement à l'automne, où ils délaissent leur plumage jaune vif de la saison de reproduction pour une livrée d'hiver grisâtre plutôt sombre. Au printemps, ils muent partout, sauf aux ailes et à la queue.

La plupart des oiseaux perdent les plumes de vol en paire, une de chaque côté; ainsi leur vol n'est pas affecté. Cependant, chez quelques espèces — canards, oies et autres espèces marines qui ne dépendent pas du vol pour leur nourriture — la période de mue représente un danger, car les oiseaux perdent toutes leurs plumes de vol. La Bernache du Canada, par exemple, est restreinte au sol ou sur l'eau pendant sa mue annuelle d'été.

PARTIR POUR LE SUD

Quatre-vingts (80) p. cent des 645 espèces d'oiseaux de l'Amérique du Nord se déplacent d'une certaine distance de façon saisonnière, y compris ce qu'on appelle les migrations en altitude ou verticale, c'est-à-dire de haut en bas d'une montagne. On ne sait pas qui a d'abord observé les mouvements saisonniers des oiseaux, mais ce phénomène a certainement toujours intéressé les observateurs. Les plus vieux écrits qui restent, dont la Bible, font mention de la migration des oiseaux. Aristote mentionne la migration, mais il insiste sur le fait que certains oiseaux qui disparaissent à la fin de l'été ne migrent pas mais se cachent. D'autres, disait-il, transmuent. L'explication de la migration que je préfère est celle d'un Anglais qui disait que les oiseaux volaient jusqu'à la lune (en 60 jours), mais comme il n'y avait rien à manger, ils hibernaient.

On peut rire à l'idée d'hibernation chez les oiseaux, mais certains comportements torpides imitant l'hibernation ont pu amener les gens à croire qu'il s'agissait d'une caractéristique de certaines espèces. Un Engoulevent bois-pourri bagué, par exemple, a été trouvé dans la même crevasse d'une montagne dans le sud-est de la Californie pendant trois hivers consécutifs; sa température normale de 40 °C était tombée à environ 20 °C. On a aussi trouvé des

Le capitaine du *Pinta* remarqua un groupe d'oiseaux au loin et persuada Christophe Colomb de changer son cap vers le sud-ouest. S'ils avaient conservé leur route initiale, ils auraient débarqué sur le continent plutôt qu'aux Antilles.

Engoulevents minimes et plusieurs espèces de martinets et de colibris dans un état similaire pendant des coups de froid, alors que les insectes se font rares. L'état de torpeur conserve l'énergie considérablement.

À travers les siècles, de nombreuses suppositions ont été faites. Mais les observations systématiques apparurent assez tard dans notre histoire. En Amérique du Nord, ce n'est qu'en 1866 que Spencer Fullerton Baird, un des auteurs de *History of North American Birds*, en cinq volumes, résuma les données sur la migration. Des ornithologues de Cambridge (Massachusetts) fondèrent l'*American Ornithologists' Union* en 1883 et la création d'un comité sur la migration fut leur priorité.

Au XXe siècle, le *baguage* des oiseaux est devenu un procédé efficace permettant l'analyse électronique des enregistrements de millions d'oiseaux. Le baguage consiste à attacher un anneau de métal à la patte de l'oiseau, où sont inscrits la date et le lieu de sa capture. Si l'oiseau est capturé à nouveau, les observateurs peuvent connaître ses déplacements.

La pratique du baguage des oiseaux pour déterminer leurs mouvements migratoires a commencé en 1740, en Europe, lorsque l'Allemand Johann Leonhard Frisch attacha des cordes rouges aux pattes d'hirondelles. Quiconque capturait une hirondelle pouvait savoir d'où elle venait. John James Audubon utilisa cette technique avec un couple de moucherolles au début du XIXe siècle. L'usage répandu des bagues par des milliers d'observateurs à travers le monde a permis d'amasser une énorme quantité d'informations sur les mouvements des espèces.

Bien sûr, tous les déplacements des oiseaux ne sont pas migratoires. On peut décrire la migration, en termes simples, par le mouvement saisonnier régulier des oiseaux entre deux endroits bien distincts. Certaines espèces, tel le Jaseur des cèdres, sont considérées comme résidents permanents d'une région, même si elles errent considérablement après la période de nidification, suivant leur source de nourriture préférée; ce déplacement n'est toutefois pas considéré comme une migration. Le Grand-duc d'Amérique, les gélinottes et l'Aigle royal se retrouvent la plupart du temps dans leur habitat permanent, mais ils changent parfois de territoire pour trouver une source de nourriture appropriée; une Gélinotte à queue fine incapable de satisfaire son appétit dans le Dakota du Nord peut aller vers l'ouest, jusqu'au Montana par exemple. Une espèce de gélinotte asiatique s'est déjà rendue en Europe de l'Ouest et en Angleterre à la recherche de nourriture, retournant par la suite dans son aire d'origine. En Australie, des oiseaux nomades se déplacent uniquement selon les sources de nourriture. En hiver, il peut s'agir simplement de descendre d'altitude dans le même endroit, ce qu'on appelle une migration en altitude; chaque descente de 300 mètres d'altitude équivaut à une migration de 90 kilomètres vers le sud.

PÉRIODES DE MUE

Oiseau	Période de l'année
Bernache du Canada	Été
Goéland argenté	Mars et avril*/août et septembre
Pigeon biset	Août et septembre
Martinet ramoneur	Fin été/avant la migration
Pic flamboyant	De juillet à septembre
Pic chevelu	De juin à août
Hirondelles (la plupart)	Fin été
Corneille d'Amérique	Été
Geai bleu	Juillet et août
Mésange à tête noire	Juillet et août
Troglodyte familier	Fin été
Moqueur polyglotte	Fin été
Moqueur chat	Août
Merle d'Amérique	Juillet et août
Viréo aux yeux rouges	Août et septembre
Paruline masquée	Juillet et août
Moineau domestique	Fin été
Carouge à épaulettes**	De juillet à septembre
Quiscale bronzé	Août et septembre
Bruant chanteur	Août et septembre

*Mue partielle, plumes du corps seulement.
**Se retire dans les marais pour muer.

L'Autour des palombes et le Harfang des neiges, qui résident dans les régions nordiques, se déplacent vers le sud lorsque leurs sources de nourriture baissent. Le lemming, principal aliment du Harfang des neiges, connaît une importante diminution environ tous les quatre ans; les harfangs vont donc plus au sud pour chasser d'autres petits mammifères. Les petits de plusieurs espèces errent souvent, étendant parfois leurs aires de répartition. Chez les espèces dites migratrices, certains individus peuvent demeurer dans leur aire de nidification ou tout près. Même si tous les déplacements d'oiseaux sur une distance importante ont des caractéristiques communes avec la migration, la vraie migration consiste en un long voyage, à un moment donné, d'un endroit à un autre où les saisons des pluies ou de froid sont régulières.

On distingue les *oiseaux sédentaires*, qui résident en permanence dans leur habitat; les *nomades*, qui errent en suivant leur source de nourriture; les *migrateurs de distance moyenne*, qui se déplacent seulement sur une distance nécessaire pour assurer leur alimentation; et les *migrateurs de grande distance.* Parmi les oiseaux sédentaires, on retrouve le gibier à plumes, les pigeons et les colombes, certaines chouettes et la plupart des pics. Les corneilles et les geais sont surtout sédentaires, mais ils se retirent habituellement des parties plus au nord de leur aire pendant l'hiver. La plupart des geais qui migrent sont jeunes; les adultes demeurent généralement ensemble, formant une communauté. L'Étourneau sansonnet est sédentaire en Amérique du Nord (l'Étourneau sansonnet européen est migrateur), de même que le Moineau domestique. Certains oiseaux noirs sont sédentaires; d'autres se déplacent vers le sud. Les passerins, les bruants et les cardinals peuvent être sédentaires ou migrateurs.

Les goélands, la plupart des chouettes, les jaseurs et quelques roselins sont des oiseaux nomades. Le martin-pêcheur, s'il réside dans le nord pendant la saison de nidification, migre vers le sud jusqu'à ce qu'il trouve la surface d'eau dont il a besoin. Les mésanges, les sittelles et les grimpereaux se déplacent aussi vers le sud. Si vous en voyez tout au long de l'année, le groupe d'hiver n'est probablement pas le même que celui d'été. Les troglodytes migrent rarement loin. Le Moqueur polyglotte, le Moqueur chat et d'autres moqueurs se retirent habituellement au sud. Les Parulines polyglottes sont des migrateurs de distance moyenne, tout comme les Merles d'Amérique.

La migration sur une grande distance n'est pas nécessairement un voyage sans arrêt. Dans l'ouest du Massachusetts, où j'habite, nous commençons à voir des Bernaches du Canada après la fête du Travail. Notre environnement leur offre tout ce qu'elles aiment: un petit lac à quelques kilomètres, des champs de foin et de maïs. Elles se déplacent tranquillement, et à la mi-octobre, notre ville accueille des milliers de bernaches. Les visiteurs du lac leur donnent du pain, mais lorsque les bernaches fouillent les champs, elles ne se laissent pas approcher. Sur l'eau, elles se rassemblent en grandes volées, alors que dans les champs, elles se rassemblent en petites ou en grandes volées. On peut les voir voler souvent lorsqu'elles exécutent leurs diverses activités. Une fois le maïs coupé, elles s'alimentent bien et volent tellement bas au-dessus de notre maison que nous pouvons voir leurs plumes. Elles partent à la fin novembre, lorsque le lac commence à geler.

Les oiseaux plongeurs, les pélicans, les Fous de Bassan, les hérons, les Tantales d'Amérique, les canards, les oies, les cygnes et les oiseaux de proie sont tous migrateurs. Plusieurs oiseaux de rivage sont migrateurs. Le Coulicou à bec jaune et le Coulicou à bec noir sont aussi migrateurs. La Chouette des terriers est migratrice dans le nord. L'Engoulevent de Ridgway migre, tout comme les martinets. Les Martinets ramoneurs volent vers le nord en groupe de 20 à 30, mais ils migrent vers le sud par centaines. Tous les colibris migrent également. Le Colibri à gorge rubis se rend au Yucatan et en revient, à une vitesse moyenne de 50 km/h. Les sexes migrent séparément, le mâle arrivant en premier, et ils se déplacent vers le nord au fur et à mesure que les fleurs apparaissent. Ils volent à environ 7,5 mètres au-dessus de la terre ou de l'eau.

Le Pic flamboyant et le Pic maculé sont migrateurs. Les moucherolles et les hirondelles migrent et plusieurs grives sont des migratrices de grande distance. Les pipits se déplacent vers le sud; les pies-grièches se retirent de façon irrégulière des parties plus au nord de leur aire. La plupart des viréos et des parulines sont des migrateurs de grande distance. Les Orioles des vergers quittent le nord en juillet, immédiatement après la nidification; les Orioles du Nord ne partent pas avant septembre ou octobre. Les tangaras sont des migrateurs de grande distance.

Pourquoi et comment

Même si la croyance voulant que les oiseaux migrent pour échapper au froid est très répandue, ils sont en fait adaptés presque parfaitement pour supporter des températures extrêmes. C'est pour s'assurer une source alimentaire qu'ils migrent. Certains oiseaux, surtout les insectivores, partent vers le sud tout de suite après la mue suivant la nidification. Les autres restent pour la récolte automnale de graines, de baies et de fruits.

Les déplacements des oiseaux avant la période de migration ont tendance à être dans la même direction que leur migration. La plupart des oiseaux voyagent sur un axe nord-sud. Cependant, certains migrent d'ouest en est; le Gros-bec errant qui niche dans le nord du Minnesota, par exemple, passe l'hiver en Nouvelle-Angleterre. La Colombe à queue noire réside surtout dans le centre-sud, mais a tendance à se déplacer vers les côtes de façon saisonnière.

Une fois partis, les voyageurs se heurtent à beaucoup de difficultés. Bien que les collisions avec des structures construites par l'humain causent des milliers de décès, les morts reliées à la température sont beaucoup plus nombreuses. Les oiseaux sont parfois en proie à une migration «inversée»: ils volent dans la mauvaise direction. Les petits oiseaux voyagent environ à la vitesse du vent et ils migrent dans le même sens que lui. Par conséquent, si le vent va dans la mauvaise direction, les oiseaux feront de même. Plusieurs

Les radars sont très pratiques pour déterminer la vitesse de voyage des oiseaux; la plupart des oiseaux chanteurs voyagent à une vitesse d'environ 50 km/h, tandis que les canards atteignent 100 km/h; on a chronométré des bécasseaux allant à 175 km/h pendant la migration.

oiseaux meurent dans les premières tempêtes de neige. Les oiseaux qui voyagent le long des côtes peuvent être poussés vers la mer. Aussi coûteux qu'il soit, le voyage semi-annuel se fait en temps et lieu, un phénomène empreint de mystère.

Il peut être trompeur de parler d'itinéraires ou de trajectoires utilisés par les oiseaux migrateurs. Certains oiseaux habitent tout le continent; il est donc logique qu'ils volent au-dessus de tout ce territoire pour se rendre à destination. Cependant, en Amérique du Nord, les oiseaux suivent quatre trajectoires principales pour retourner à leur aire de nidification. Certains voyagent de l'Amérique du Sud en passant par la Californie et le Texas, se dispersant vers le nord et l'ouest. Un autre groupe migre principalement le long de la côte du Pacifique. De l'autre côté du continent, les oiseaux voyagent des tropiques en passant par les Antilles et la Floride, vers le nord le long de la côte et vers l'ouest au-dessus du lac Champlain. Le quatrième groupe, le plus important, suit une trajectoire allant de la péninsule du Yucatan, en passant par le golfe du Mexique pour se diriger ensuite vers le Mississipi et ainsi vers le nord.

Les jeunes oiseaux qui effectuent leur premier voyage vers le nord ne retournent pas nécessairement à l'endroit exact où ils sont nés, mais une fois que les oiseaux nichent à un endroit, ils retourneront probablement au même endroit à plusieurs reprises. Les petits des oiseaux qui vivent en colonies ont tendance à retourner à l'endroit de leur colonie d'origine. Habituellement, les oiseaux d'âges différents migrent séparément. Les derniers arrivés ne trouveront peut-être pas un habitat convenable dans leur aire estivale habituelle et devront aller plus loin. Un avantage de ce phénomène est que peu importe la source de nourriture existante, les oiseaux sont répandus sur un vaste territoire et les jeunes ont toute l'énergie nécessaire pour atteindre leur maturité rapidement.

La migration de certains oiseaux est beaucoup plus discrète que d'autres. Vous vous apercevrez un jour que vous n'avez pas vu d'oriole depuis deux semaines, mais il est difficile de manquer le rassemblement bruyant des Carouges à épaulettes à l'automne avant de partir pour le sud. La migration de certaines espèces est plus discrète non seulement parce qu'elle se fait la nuit, mais aussi parce que les vols de nuit se font en plus haute altitude que les vols de jour. Les migrateurs nocturnes, comme les grives, les troglodytes, les parulines (à l'exception de la Paruline à croupion jaune) et les bruants, n'ont pas un vol fort; le jour, ils se nourrissent sur le sol ou dans les plantes comme à l'habitude. Les oiseaux au vol puissant, qui se nourrissent en vol, comme les hirondelles, sont diurnes et voyagent de jour. On peut voir des nuées d'oiseaux envahir les fils téléphoniques un jour; le lendemain, ils sont tous partis. Les buses, qui ont un vol puissant et ont habituellement une grande aire de répartition, migrent aussi pendant le jour, tout comme les oies et d'autres grands oiseaux. Les canards et les oiseaux marins sont nocturnes, mais ils voyagent aussi bien de jour que de nuit.

L'aspect le plus remarquable de la migration est peut-être le fait que les oiseaux réussissent toujours à atteindre leur destination, souvent après avoir parcouru des milliers de kilomètres. Même armés de cartes et aidés par les affiches routières, les gens se perdent dans leur propre région! Il existe de nombreuses théories — sur les oiseaux et non sur les chauffeurs égarés —, mais personne ne sait vraiment comment les oiseaux réussissent à se diriger et à savoir où aller. Au cours de ce siècle, plusieurs recherches minutieusement contrôlées ont étudié la question.

Une théorie de la navigation des oiseaux veut que ces derniers s'orientent visuellement en se guidant sur la position du soleil, de la lune et des étoiles. Certains experts croient qu'ils utilisent des points de repère terrestres. Cependant, aucune de ces méthodes ne serait efficace par temps couvert. Les radards ont permis de démontrer que les oiseaux ont un bon sens de l'orientation sous, dans et entre les nuages. Toutefois, il y a plusieurs autres théories. Plusieurs biologistes croient que les oiseaux utilisent le champ magnétique de la terre et l'effet mécanique de sa rotation pour s'orienter. Pour appuyer leur idée, ils font remarquer que les oiseaux ne migrent pas en travers des poles. D'autres pensent que l'orientation provient des radiations thermiques. Puisqu'il y en a moins au nord et plus au sud, les oiseaux recherchent des quantités plus grandes ou plus petites lorsqu'ils volent, selon la direction qu'ils prennent. Le retour aux sources est une autre possibilité. La théorie moléculaire, quant à elle, postule que la migration est accidentelle. Des observateurs en avion ont aperçu des vols remarquables, ainsi que des vols d'exploration, et croient que cette activité devient éventuellement un comportement migrateur qui réussit, appuyant la théorie moléculaire. Cependant, si on considère les distances parcourues, ce genre de comportement empirique semble beaucoup trop long.

Il y a plusieurs théories sur la migration des oiseaux, appuyées par des études d'une complexité telle que l'ornithologue amateur est dépassé par une trop grande quantité d'informations. Parmi les nouvelles idées, citons l'orientation influencée génétiquement, la transmission d'un code au moment de l'éclosion, l'«horloge interne» et l'apprentissage (les jeunes oiseaux ont plus tendance à s'égarer). Une théorie prétend que les modèles de migration sont modifiés par les lents changements climatiques que nous connaissons.

La migration après la saison de nidification s'étend sur une longue période. Pour les observateurs, c'est un moment fascinant puisqu'ils ont alors l'occasion d'observer des espèces difficiles à voir en d'autres temps. C'est aussi un moment intense. Bien que certains oiseaux disparaissent sans qu'on ne s'en aperçoive, les volées de fin d'été et de début d'automne rappellent aux jardiniers et aux amateurs de soleil que l'hiver s'en vient. Même si vous appréciez les changements de saison et attendez avec impatience l'arrivée de la prochaine, bien des appréhensions innées accompagnent le départ des oiseaux migrateurs. Il est toujours excitant et stimulant de regarder un passage d'oies; mais cela est moins vrai à l'automne. C'est peut-être parce qu'il s'agit de la fin, d'un au revoir. De fait, il est toujours plus plaisant de voir revenir des voyageurs que de les voir partir...

DEUXIÈME PARTIE

LES ESPÈCES ET LEURS HABITUDES DE NIDIFICATION

L: 81 cm

GAVIIDÉS –
HUARTS

Huart à collier
(Common Loon)
(Gavia immer)

AIRE DE NIDIFICATION: Partout au Canada, sauf dans le sud-est de l'Alberta, le sud de la Saskatchewan et le nord des territoires.

AIRE D'HIVERNAGE: Côte est, de Terre-Neuve au golfe du Mexique; hiberne aussi sur la côte ouest jusqu'au Mexique.

HABITAT PRÉFÉRÉ: Grands lacs d'eau douce.

LIEU DE NIDIFICATION PRÉFÉRÉ: Sur le sol nu dans la végétation littorale, sur une petite île boisée, une tourbe flottante, un abri de rat musqué.

GROSSEUR DE LA COUVÉE: De 1 à 3 oeufs, habituellement 2.

PÉRIODE D'INCUBATION: 28 ou 29 jours.

PÉRIODE AU NID: 1 jour (nidifuge).

COUVÉE PAR SAISON: 1.

NOURRITURE PRÉFÉRÉE: Poissons; batraciens; insectes; plantes aquatiques.

L: 117 cm, E: 183 cm

ARDÉIDÉS –
HÉRONS ET BUTORS

Grand Héron
(Great Blue Heron)
(Ardea herodias)

AIRE DE NIDIFICATION: Sud-est de la Colombie-Britannique; sud du Canada, de l'Alberta aux provinces maritimes; se répand aussi jusqu'au nord-est de l'Alberta et jusqu'au nord-ouest de la Saskatchewan.

AIRE D'HIVERNAGE: Parfois dans le sud des provinces maritimes et de l'Ontario; aussi sur la côte ouest; sud des États-Unis; Mexique.

HABITAT PRÉFÉRÉ: Eau peu profonde, marais, marécages.

LIEU DE NIDIFICATION PRÉFÉRÉ: Grand arbre dans un marais ou une île rocheuse; niche en colonies.

GROSSEUR DE LA COUVÉE: De 3 à 7 oeufs, habituellement 4.

PÉRIODE D'INCUBATION: 28 jours.

PÉRIODE AU NID: 60 jours.

COUVÉE PAR SAISON: 1.

NOURRITURE PRÉFÉRÉE: Insectes; poissons; batraciens.

* Seules les aires de nidification canadiennes sont indiquées.
L: longueur
E: envergure

L: 51 cm, E: 91 cm

ARDÉIDÉS –
HÉRONS ET BUTORS

Héron garde-boeufs

(Cattle Egret)
(Bubulcus ibis)

AIRE DE NIDIFICATION: Sud de l'Ontario, du Manitoba, de la Saskatchewan, du Québec, du Nouveau-Brunswick et de la Nouvelle-Écosse; plus rare dans l'ouest du Canada; se répand rapidement vers le nord.

AIRE D'HIVERNAGE: Au sud et à l'ouest de la Caroline du Nord.

HABITAT PRÉFÉRÉ: Marais, pâturages.

LIEU DE NIDIFICATION PRÉFÉRÉ: Arbres; niche en colonies.

GROSSEUR DE LA COUVÉE: De 2 à 6 oeufs, habituellement 4 ou 5.

PÉRIODE D'INCUBATION: De 21 à 24 jours.

PÉRIODE AU NID: Jusqu'à 40 jours.

COUVÉE PAR SAISON: 1.

NOURRITURE PRÉFÉRÉE: Insectes; reptiles; batraciens; crustacés.

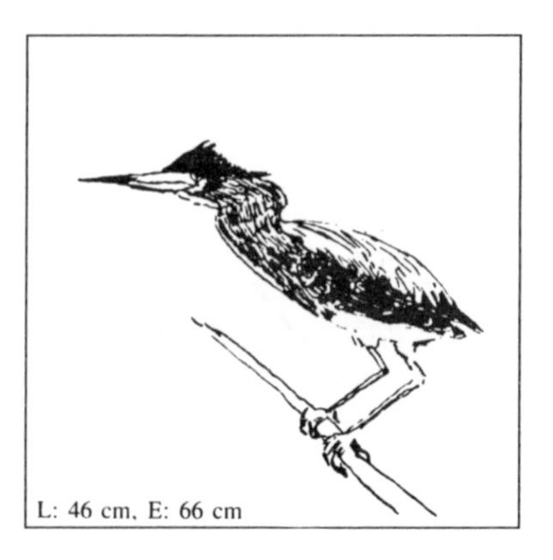
L: 46 cm, E: 66 cm

ARDÉIDÉS –
HÉRONS ET BUTORS

Héron vert

(Green-backed Heron)
(Butorides striatus)

AIRE DE NIDIFICATION: Extrême-sud de la Colombie-Britannique; sud du Manitoba, de l'Ontario, du Québec; centre-nord du Nouveau-Brunswick, nord de la Nouvelle-Écosse.

AIRE D'HIVERNAGE: Du sud des États-Unis jusqu'en Amérique centrale.

HABITAT PRÉFÉRÉ: Eau salée ou douce, marécages.

LIEU DE NIDIFICATION PRÉFÉRÉ: Arbres, arbustes, fourrés de saules, pas nécessairement près de l'eau; niche seul ou en colonies.

GROSSEUR DE LA COUVÉE: De 3 à 9 oeufs, habituellement 4 ou 5.

PÉRIODE D'INCUBATION: De 19 à 21 jours.

PÉRIODE AU NID: 16 ou 17 jours.

COUVÉES PAR SAISON: 1, parfois 2.

NOURRITURE PRÉFÉRÉE: Petits poissons; crustacés; insectes.

L: 152 cm

ANATIDÉS —
CYGNES, OIES ET CANARDS

Cygne tuberculé
(Mute Swan)
(Cygnus olor)

AIRE DE NIDIFICATION: Sud de la Colombie-Britannique, de la Saskatchewan et de l'Ontario; populations sauvages grandissantes établies au nord de la côte est américaine.

AIRE D'HIVERNAGE: Demeure dans l'aire de nidification.

HABITAT PRÉFÉRÉ: Eaux côtières protégées avec végétation aquatique dense.

LIEU DE NIDIFICATION PRÉFÉRÉ: Sur le sol, isolé; niche parfois en colonies.

GROSSEUR DE LA COUVÉE: De 2 à 11 oeufs, habituellement de 5 à 7.

PÉRIODE D'INCUBATION: 35 ou 36 jours.

PÉRIODE AU NID: 1 jour (nidifuge).

COUVÉE PAR SAISON: 1.

NOURRITURE PRÉFÉRÉE: Crustacés; insectes.

L: De 64 à 114 cm,
E: De 127 à 173 cm

ANATIDÉS —
CYGNES, OIES ET CANARDS

Bernache du Canada
(Canada Goose)
(Branta canadensis)

AIRE DE NIDIFICATION: Partout au Canada sauf dans le sud du Québec et de l'Ontario.

AIRE D'HIVERNAGE: Sud des Grands Lacs et Nouvelle-Écosse, côte de la Colombie-Britannique et des États-Unis; du centre au sud des États-Unis.

HABITAT PRÉFÉRÉ: Étangs, rivières, baies, champs, marais d'eau salée.

LIEU DE NIDIFICATION PRÉFÉRÉ: Sur le sol, près de l'eau.

GROSSEUR DE LA COUVÉE: De 4 à 10 oeufs, habituellement 5 ou 6.

PÉRIODE D'INCUBATION: 28 jours.

PÉRIODE AU NID: 1 jour (nidifuge).

COUVÉE PAR SAISON: 1.

NOURRITURE PRÉFÉRÉE: Gazon, plantes de marais, plantes aquatiques; céréales.

L: 58 cm, E: 92 cm

ANATIDÉS –
CYGNES, OIES ET CANARDS

Canard colvert

(Mallard)
(Anas platyrhynchos)

AIRE DE NIDIFICATION: Yukon, Colombie-Britannique, prairies, Ontario (sauf l'extrême-nord), sud du Québec.

AIRE D'HIVERNAGE: Région sud du Canada, côte de la Colombie-Britannique; États-Unis.

HABITAT PRÉFÉRÉ: Habituellement au bord des lacs, des étangs, des réservoirs; parfois les prairies et les champs éloignés de l'eau.

LIEU DE NIDIFICATION PRÉFÉRÉ: Dans les hautes herbes, sur le sol sec.

GROSSEUR DE LA COUVÉE: De 6 à 15 oeufs, habituellement de 8 à 15.

PÉRIODE D'INCUBATION: De 23 à 30 jours, habituellement 26.

PÉRIODE AU NID: 1 jour ou moins (nidifuge).

COUVÉE PAR SAISON: 1.

NOURRITURE PRÉFÉRÉE: Graines; feuilles.

L: 47 cm, E: 71 cm

ANATIDÉS –
CYGNES, OIES, CANARDS

Canard branchu

(Wood Duck)
(Aix sponsa)

AIRE DE NIDIFICATION: Sud de la Colombie-Britannique, du Manitoba, de l'Ontario et du Québec; Nouveau-Brunswick et Nouvelle-Écosse.

AIRE D'HIVERNAGE: Sud de la Colombie-Britannique; côte du Pacifique jusqu'au Mexique; sud-est des États-Unis.

HABITAT PRÉFÉRÉ: Forêts marécageuses, marais, près des étendues d'eau.

LIEU DE NIDIFICATION PRÉFÉRÉ: Cavités dans les arbres; nichoirs.

GROSSEUR DE LA COUVÉE: De 10 à 15 oeufs, habituellement de 6 à 8 (selon une autre source: de 6 à 15, habituellement de 9 à 14).

PÉRIODE D'INCUBATION: De 28 à 31 jours (selon une autre source: de 28 à 37, en moyenne 30).

PÉRIODE AU NID: 1 jour (nidifuge).

COUVÉE PAR SAISON: 1.

NOURRITURE PRÉFÉRÉE: Glands; insectes.

L: 27 cm

CHARADRIIDÉS –
PLUVIERS

Pluvier kildir
(Killdeer)
(Charadrius vociferus)

AIRE DE NIDIFICATION: Colombie-Britannique, provinces des prairies, sud-ouest des territoires, Ontario (sauf extrême-nord), sud du Québec et provinces maritimes.

AIRE D'HIVERNAGE: Sud de la Colombie-Britannique; côtes américaines; sud des États-Unis.

HABITAT PRÉFÉRÉ: Champs, parcs, endroits ouverts, souvent près des habitations humaines et de l'eau.

LIEU DE NIDIFICATION PRÉFÉRÉ: Sol nu, toits de gravier.

GROSSEUR DE LA COUVÉE: De 3 à 5 oeufs, habituellement 4.

PÉRIODE D'INCUBATION: De 24 à 29 jours.

PÉRIODE AU NID: Moins d'un jour (nidifuge).

COUVÉES PAR SAISON: 1; parfois 2.

NOURRITURE PRÉFÉRÉE: Insectes.

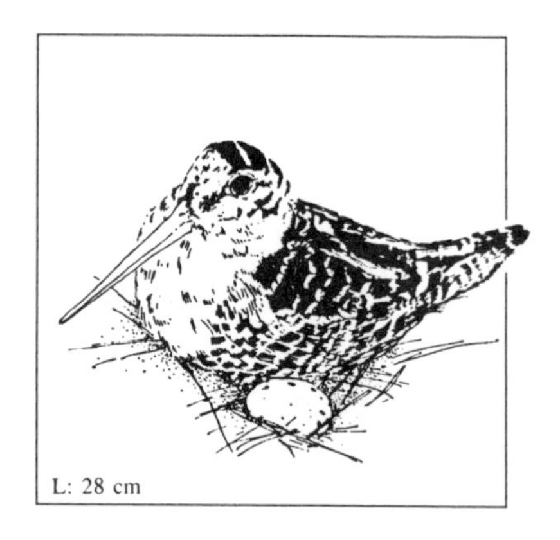
L: 28 cm

SCOLOPACIDÉS –
BÉCASSEAUX, CHEVALIERS, ETC.

Bécasse d'Amérique
(American Woodcock)
(Scolopax minor)

AIRE DE NIDIFICATION: Sud de Terre-Neuve, provinces maritimes, sud du Québec et de l'Ontario.

AIRE D'HIVERNAGE: Sud-est des États-Unis.

HABITAT PRÉFÉRÉ: Forêts marécageuses, marais, près des étendues d'eau.

LIEU DE NIDIFICATION PRÉFÉRÉ: Sur le sol des forêts ou dans les champs.

GROSSEUR DE LA COUVÉE: De 3 à 5 oeufs, habituellement 4.

PÉRIODE D'INCUBATION: 20 ou 21 jours.

PÉRIODE AU NID: Plusieurs jours (nidifuge).

COUVÉE PAR SAISON: 1.

NOURRITURE PRÉFÉRÉE: Vers de terre; larves d'insectes.

L: 19 cm

SCOLOPACIDÉS –
BÉCASSEAUX, CHEVALIERS, ETC.

Chevalier branlequeue

(Spotted Sandpiper)
(Actitis macularia)

AIRE DE NIDIFICATION: Partout au Canada jusqu'à la limite des arbres.

AIRE D'HIVERNAGE: Parfois dans le sud-ouest de la Colombie-Britannique; sud des États-Unis jusqu'en Amérique du Sud.

HABITAT PRÉFÉRÉ: Terrain dégagé près de l'eau.

LIEU DE NIDIFICATION PRÉFÉRÉ: Dépression dans le sol; niche parfois en colonies.

GROSSEUR DE LA COUVÉE: 4 oeufs.

PÉRIODE D'INCUBATION: De 20 à 24 jours.

PÉRIODE AU NID: Moins de 1 jour (nidifuge).

COUVÉE PAR SAISON: Probablement 1.

NOURRITURE PRÉFÉRÉE: Insectes.

L: 64 cm, E: 147 cm

LARIDÉS –
LABBES, GOÉLANDS, STERNES

Goéland argenté

(Herring Gull)
(Larus argentatus)

AIRE DE NIDIFICATION: Yukon, territoires, nord et centre de la Colombie-Britannique et des prairies, Ontario, Québec, provinces maritimes et Terre-Neuve.

AIRE D'HIVERNAGE: Côte de l'Atlantique, de Terre-Neuve aux provinces maritimes; côte ouest, du sud de l'Alaska jusqu'au Mexique; sud-est du Québec et sud de l'Ontario; centre des États-Unis jusqu'en Amérique du Sud.

HABITAT PRÉFÉRÉ: Rives, fermes, dépotoirs.

LIEU DE NIDIFICATION PRÉFÉRÉ: Sur le sol, dans un endroit sablonneux ouvert.

GROSSEUR DE LA COUVÉE: 2 ou 3 oeufs.

PÉRIODE D'INCUBATION: 26 jours.

PÉRIODE AU NID: Quelques jours.

COUVÉE PAR SAISON: 1.

NOURRITURE PRÉFÉRÉE: Charogne, déchets, animaux marins.

L: 69 cm, E: 175 cm

CATHARTIDÉS –
URUBUS, CONDORS

Urubu à tête rouge

(Turkey Vulture)
(Cathartes aura)

AIRE DE NIDIFICATION: Sud de la Colombie-Britannique et des prairies, sud de l'Ontario; rare dans l'extrême-sud du Québec.

AIRE D'HIVERNAGE: À l'occasion dans le sud de la Colombie-Britannique; côte ouest et sud des États-Unis; Mexique.

HABITAT PRÉFÉRÉ: Varié, incluant forêts et clairières, sèches et humides.

LIEU DE NIDIFICATION PRÉFÉRÉ: Sur le sol, parmi les roches ou le gravier; dans le bran de scie dans le tronc d'un arbre creux.

GROSSEUR DE LA COUVÉE: De 1 à 3 oeufs, habituellement 2.

PÉRIODE D'INCUBATION: De 30 à 41 jours.

PÉRIODE PASSÉE AU NID: De 70 à 84 jours.

COUVÉE PAR SAISON: 1.

NOURRITURE PRÉFÉRÉE: Charogne.

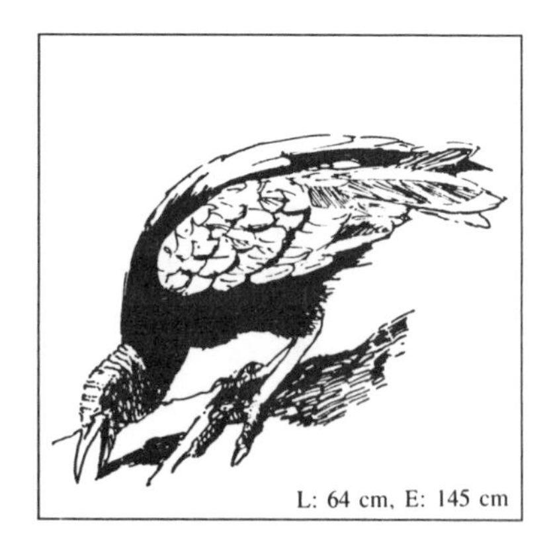

L: 64 cm, E: 145 cm

CATHARTIDÉS –
URUBUS, CONDORS

Urubu noir

(Black Vulture)
(Coragyps atratus)

AIRE DE NIDIFICATION: Plutôt rare dans le sud de l'Ontario et plus à l'est.

AIRE D'HIVERNAGE: Réside en permanence presque partout dans l'aire de nidification dans le sud des États-Unis; Amérique centrale.

HABITAT PRÉFÉRÉ: Variés.

LIEU DE NIDIFICATION PRÉFÉRÉ: Tronc creux, fourrés, grottes.

GROSSEUR DE LA COUVÉE: 2 oeufs.

PÉRIODE D'INCUBATION: 28 ou 29 jours.

PÉRIODE AU NID: De 67 à 74 jours.

COUVÉE PAR SAISON: 1.

NOURRITURE PRÉFÉRÉE: Charogne.

L: 56 cm

ACCIPITRIDÉS —
BUSES, ÉPERVIERS, AIGLES, ETC.

Buse à queue rousse

(Red-tailed Hawk)
(Buteo jamaicensis)

AIRE DE NIDIFICATION: Provinces maritimes; centre et sud du Québec; Ontario et prairies (sauf extrême-nord); Colombie-Britannique, Yukon et ouest des territoires.

AIRE D'HIVERNAGE: Sud de l'Ontario et occasionnellement dans les provinces maritimes; États-Unis et plus au sud.

HABITAT PRÉFÉRÉ: Forêts sèches ou terrains vagues; marais, déserts.

LIEU DE NIDIFICATION PRÉFÉRÉ: Arbres en forêt ou isolés, falaises.

GROSSEUR DE LA COUVÉE: De 1 à 5 oeufs, habituellement 2 ou 3.

PÉRIODE D'INCUBATION: 28 jours.

PÉRIODE AU NID: 4 ou 5 semaines.

COUVÉE PAR SAISON: 1.

NOURRITURE PRÉFÉRÉE: Petits mammifères, batraciens, reptiles, oisillons, insectes.

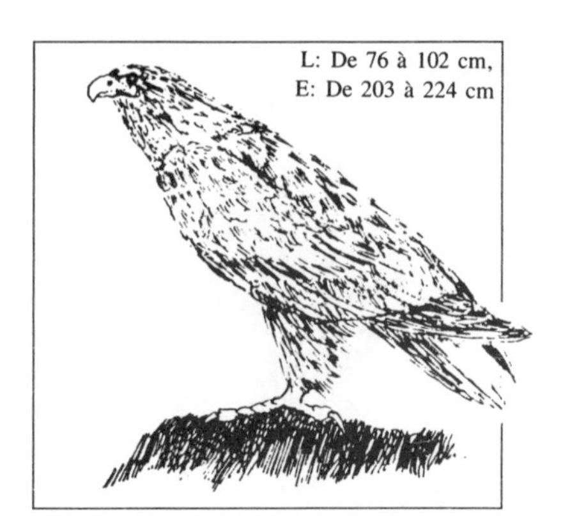
L: De 76 à 102 cm,
E: De 203 à 224 cm

ACCIPITRIDÉS —
BUSES, ÉPERVIERS, AIGLES, ETC.

Aigle royal

(Golden Eagle)
(Aquila chrysaetos)

AIRE DE NIDIFICATION: Partout au Canada, sauf dans le nord-ouest du Québec, le Manitoba, le sud-est de la Saskatchewan et l'est des territoires.

AIRE D'HIVERNAGE: Provinces de l'Ouest; sud de l'Ontario et du Québec; provinces maritimes; États-Unis, nord du Mexique.

HABITAT PRÉFÉRÉ: Montagnes, contreforts.

LIEU DE NIDIFICATION PRÉFÉRÉ: Falaises ou gros arbres.

GROSSEUR DE LA COUVÉE: De 1 à 4 oeufs, habituellement 2 ou 3.

PÉRIODE D'INCUBATION: 43 jours.

PÉRIODE AU NID: 12 semaines.

COUVÉE PAR SAISON: 1.

NOURRITURE PRÉFÉRÉE: Mammifères petits et moyens; poissons; reptiles; charogne.

ACCIPITRIDÉS –
BUSES, ÉPERVIERS AIGLES, ETC.

Pygargue à tête blanche

(Bald Eagle)
(Haliaeetus leucocephalus)

AIRE DE NIDIFICATION: Partout au Canada, sauf dans le nord de l'Ontario et du Québec, l'est des territoires et le sud des prairies.

AIRE D'HIVERNAGE: Maritimes; sud du Québec et de l'Ontario; côte de la Colombie-Britannique; presque partout aux États-Unis.

HABITAT PRÉFÉRÉ: Près des grandes étendues d'eau.

LIEU DE NIDIFICATION: Dans une fourche près de la cîme d'arbres géants, habituellement à une hauteur de 15 à 18 mètres.

GROSSEUR DE LA COUVÉE: De 1 à 3 oeufs, habituellement 2.

PÉRIODE D'INCUBATION: 35 jours.

PÉRIODE AU NID: De 72 à 74 jours.

COUVÉE PAR SAISON: 1.

NOURRITURE PRÉFÉRÉE: Poissons; mammifères, de petits à moyens.

ACCIPITRIDÉS –
BUSES, ÉPERVIERS, AIGLES, ETC.

Busard Saint-Martin

(Northern Harrier)
(Circus cyaneus)

AIRE DE NIDIFICATION: Partout en Amérique du Nord, sauf dans le nord du Québec; l'est des territoires et à Terre-Neuve.

AIRE D'HIVERNAGE: Dans l'est: sud de la Nouvelle-Écosse et de l'Ontario; États-Unis; dans l'ouest: sud et côte de la Colombie-Britannique jusqu'au Mexique.

HABITAT PRÉFÉRÉ: Marais, champs.

LIEU DE NIDIFICATION PRÉFÉRÉ: Sur le sol ou près du sol.

GROSSEUR DE LA COUVÉE: De 3 à 9 oeufs, habituellement 5.

PÉRIODE D'INCUBATION: 24 jours.

PÉRIODE AU NID: 5 ou 6 semaines.

COUVÉE PAR SAISON: 1.

NOURRITURE PRÉFÉRÉE: Petits mammifères et oiseaux.

L: 56 cm, E: 147 cm

PANDIONIDÉS –
BUSES, ÉPERVIERS, AIGLES, ETC.

Balbuzard

(Osprey)
(Pandion haliaetus)

AIRE DE NIDIFICATION: Partout au Canada, sauf dans le nord du Québec et du Yukon, l'est des territoires et le sud des prairies.

AIRE D'HIVERNAGE: Floride et golfe du Mexique.

HABITAT PRÉFÉRÉ: Près de l'eau salée ou douce.

LIEU DE NIDIFICATION PRÉFÉRÉ: Du niveau du sol jusqu'à 18 mètres, toujours plus haut que les environs.

GROSSEUR DE LA COUVÉE: De 2 à 4 oeufs, habituellement 3.

PÉRIODE D'INCUBATION: De 28 à 35 jours.

PÉRIODE AU NID: De 8 à 10 semaines.

COUVÉE PAR SAISON: 1.

NOURRITURE PRÉFÉRÉE: Poissons.

L: 50 cm, E: 102 cm

FALCONIDÉS –
FAUCONS, CARACARAS

Faucon pèlerin

(Peregrine Falcon)
(Falco peregrinus)

AIRE DE NIDIFICATION: Quelques endroits au Yukon, dans les territoires du Nord-Ouest, sur la côte ouest et à l'extrême-nord du Québec.

AIRE D'HIVERNAGE: Sud de la Colombie-Britannique; côtes des États-Unis, golfe du Mexique.

HABITAT PRÉFÉRÉ: Campagne, falaises ou édifices.

LIEU DE NIDIFICATION PRÉFÉRÉ: Saillies élevées dans les falaises ou sur les édifices.

GROSSEUR DE LA COUVÉE: De 2 à 7 oeufs, habituellement 4.

PÉRIODE D'INCUBATION: 30 jours.

PÉRIODE AU NID: De 5 à 7 semaines.

COUVÉE PAR SAISON: 1.

NOURRITURE PRÉFÉRÉE: Oiseaux, de petits à gros.

L: 27 cm

FALCONIDÉS —
FAUCONS, CARACARAS

Crécerelle d'Amérique

(American Kestrel)
(Falco sparverius)

AIRE DE NIDIFICATION: Partout au Canada, sauf dans le nord et le sud-est du Québec, l'extrême-nord du Manitoba, de l'Ontario et du Yukon, et dans l'est des territoires.

AIRE D'HIVERNAGE: Sud de la Colombie-Britannique et de l'Ontario, sud-ouest du Québec et parfois en Nouvelle-Écosse; État-Unis et régions plus au sud.

HABITAT PRÉFÉRÉ: Endroits ouverts, de la lisière des forêts jusque dans les villes.

LIEU DE NIDIFICATION PRÉFÉRÉ: Cavités dans les arbres et sur les édifices; nichoirs.

GROSSEUR DE LA COUVÉE: De 3 à 7 oeufs, habituellement 4 ou 5.

PÉRIODE D'INCUBATION: De 29 à 31 jours.

PÉRIODE AU NID: 30 ou 31 jours.

NOURRITURE PRÉFÉRÉE: Insectes; petits mammifères; reptiles, batraciens; oiseaux.

L: 41 cm

PHASIANIDÉS —
GALLINACÉS

Tétras du Canada

(Spruce Grouse)
(Dendragapus canadensis)

AIRE DE NIDIFICATION: Partout au Canada, sauf dans l'extrême-sud de l'Ontario, le sud des prairies et l'est des territoires.

AIRE D'HIVERNAGE: Réside dans l'aire de nidification.

HABITAT PRÉFÉRÉ: Forêts de conifères, surtout d'épinettes.

LIEU DE NIDIFICATION PRÉFÉRÉ: Sur le sol, sur un amas de broussailles ou sous un conifère aux branches basses.

GROSSEUR DE LA COUVÉE: De 4 à 10 oeufs, habituellement de 6 ou 8.

PÉRIODE D'INCUBATION: De 22 à 25 jours.

PÉRIODE AU NID: Moins d'un jour (nidifuge).

COUVÉE PAR SAISON: 1.

NOURRITURE PRÉFÉRÉE: Bourgeons et aiguilles de conifères; baies; insectes.

PHASIANIDÉS — GALLINACÉS

Gélinotte huppée

(Ruffed Grouse)
(Bonasa umbellus)

AIRE DE NIDIFICATION: De Terre-Neuve et du sud du Labrador jusqu'au Yukon; au Québec, dans le centre et le sud.

AIRE D'HIVERNAGE: Réside dans l'aire de nidification.

HABITAT PRÉFÉRÉ: Régions boisées avec éclaircies; repousses.

LIEU DE NIDIFICATION PRÉFÉRÉ: Sous une bûche, à la base d'un arbre, dans un sous-bois dense.

GROSSEUR DE LA COUVÉE: De 8 à 15 oeufs, habituellement 9 ou 12.

PÉRIODE D'INCUBATION: De 21 à 24 jours.

PÉRIODE AU NID: Moins d'un jour (nidifuge).

COUVÉE PAR SAISON: 1.

NOURRITURE PRÉFÉRÉE: Graines; insectes; fruits.

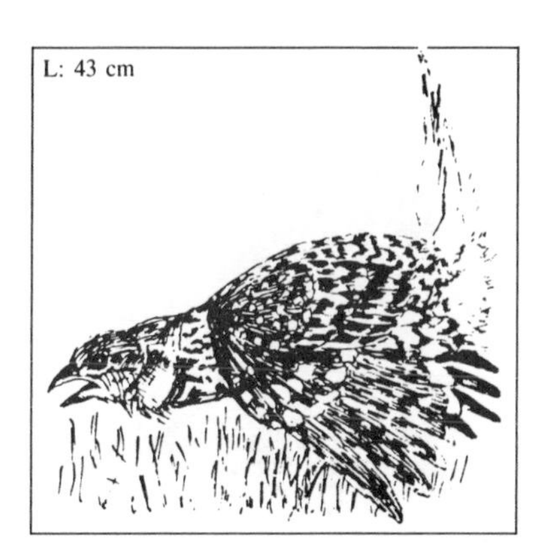

PHASIANIDÉS — GALLINACÉS

Gélinotte à queue fine

(Sharp-tailed Grouse)
(Tympanuchus phasianellus)

AIRE DE NIDIFICATION: De l'ouest de la Colombie-Britannique et des territoires jusque dans le nord-ouest du Québec.

AIRE D'HIVERNAGE: Réside dans l'aire de nidification.

HABITAT PRÉFÉRÉ: Terrains boisés ou broussailles.

LIEU DE NIDIFICATION PRÉFÉRÉ: Dépression dans le gazon.

GROSSEUR DE LA COUVÉE: De 7 à 15 oeufs.

PÉRIODE D'INCUBATION: 21 jours.

PÉRIODE AU NID: Moins d'un jour (nidifuge).

COUVÉE PAR SAISON: 1.

NOURRITURE PRÉFÉRÉE: Plantes; insectes.

L: 25 cm

PHASIANIDÉS —
GALLINACÉS

Colin de Virginie

(Northern Bobwhite)
(Colinus virginianus)

AIRE DE NIDIFICATION: Extrême-sud de l'Ontario; inusité dans le sud-ouest de la Colombie-Britannique.

AIRE D'HIVERNAGE: Réside dans l'aire de nidification; du nord-est des États-Unis vers le sud.

HABITAT PRÉFÉRÉ: Broussailles et fermes.

LIEU DE NIDIFICATION PRÉFÉRÉ: Creux dans le gazon.

GROSSEUR DE LA COUVÉE: De 12 à 20 oeufs, habituellement 14 ou 16.

PÉRIODE D'INCUBATION: 23 ou 24 jours.

PÉRIODE AU NID: 1 jours ou moins (nidifuge).

COUVÉES PAR SAISON: Habituellement 2.

NOURRITURE PRÉFÉRÉE: Végétation, graines, insectes.

L: 84 cm mâle; 53 cm femelle

PHASIANIDÉS —
GALLINACÉS

Faisan de chasse

(Ring-necked Pheasant)
(Phasianus colchicus)

AIRE DE NIDIFICATION: Sud de la Colombie-Britannique et des prairies, extrême-sud de l'Ontario et du Québec, provinces maritimes, sud-est de Terre-Neuve.

AIRE D'HIVERNAGE: Réside dans l'aire de nidification.

HABITAT PRÉFÉRÉ: Champs cultivés, lisières en broussailles.

LIEU DE NIDIFICATION PRÉFÉRÉ: Sur le sol dans un creux naturel, dans le gazon ou l'herbe.

GROSSEUR DE LA COUVÉE: De 6 à 15 oeufs, habituellement de 10 à 12.

PÉRIODE D'INCUBATION: De 23 à 25 jours.

PÉRIODE AU NID: Moins d'un jour (nidifuge).

COUVÉES PAR SAISON: 1 ou 2.

NOURRITURE PRÉFÉRÉE: Céréales; graines; végétation.

COLUMBIDÉS —
PIGEONS ET TOURTERELLES

Pigeon biset
(Rock Dove)
(Columba livia)

AIRE DE NIDIFICATION: Sud du Canada; nord-est du Québec et Terre-Neuve.

AIRE D'HIVERNAGE: Réside en permanence dans l'aire de nidification.

HABITAT PRÉFÉRÉ: Près des habitations humaines.

LIEU DE NIDIFICATION PRÉFÉRÉ: Saillies, ponts, granges; niche seul ou en colonies.

GROSSEUR DE LA COUVÉE: 1 ou 2 oeufs, habituellement 2.

PÉRIODE D'INCUBATION: De 17 à 19 jours.

PÉRIODE AU NID: De 21 à 28 jours.

COUVÉES PAR SAISON: 2 ou 3; parfois plus.

NOURRITURE PRÉFÉRÉE: Graines; céréales; nourriture offerte.

COLUMBIDÉS —
PIGEONS ET TOURTERELLES

Tourterelle triste
(Mourning Dove)
(Zenaida macroura)

AIRE DE NIDIFICATION: Sud du Canada, de la Colombie-Britannique aux provinces maritimes.

AIRE D'HIVERNAGE: Sud de la Colombie-Britannique et de l'Ontario, Nouvelle-Écosse; partout aux États-Unis (sauf dans le nord-ouest) jusqu'en Amérique centrale.

HABITAT PRÉFÉRÉ: bois clairsemés, régions agricoles et résidentielles.

LIEU DE NIDIFICATION PRÉFÉRÉ: Branches horizontales des conifères, de 3 à 15 mètres de haut.

GROSSEUR DE LA COUVÉE: De 2 à 4 oeufs, habituellement 2.

PÉRIODE D'INCUBATION: 13 ou 14 jours.

PÉRIODE AU NID: De 12 à 14 jours.

COUVÉE PAR SAISON: 2 dans le nord; 3 ou 4 (parfois jusqu'à 6) dans le sud.

NOURRITURE PRÉFÉRÉE: Graines; céréales.

L: 31 cm

CUCULIDÉS –
COUCOUS, ANIS ET COULICOUS

Coulicou à bec jaune
(Yellow-billed Cuckoo)
(Coccyzus americanus)

AIRE DE NIDIFICATION: Extrême-sud du Nouveau-Brunswick, du Québec et de l'Ontario; localement au sud du Manitoba et de la Colombie-Britannique.

AIRE D'HIVERNAGE: Amérique du Sud.

HABITAT PRÉFÉRÉ: Bois clairsemés, broussailles, fourrés.

LIEU DE NIDIFICATION PRÉFÉRÉ: Végétation dense; buissons ou petits arbres.

GROSSEUR DE LA COUVÉE: De 1 à 5 oeufs, habituellement 3 ou 4.

PÉRIODE D'INCUBATION: 14 jours.

PÉRIODE AU NID: De 7 à 9 jours.

COUVÉE PAR SAISON: 1.

NOURRITURE PRÉFÉRÉE: Insectes; fruits sauvages.

L: 31 cm

CUCULIDÉS –
COUCOUS, ANIS ET COULICOUS

Coulicou à bec noir
(Black-billed Cuckoo)
(Coccyzus erythropthalmus)

AIRE DE NIDIFICATION: Sud du Canada, de l'Île-du-Prince-Édouard jusqu'en Alberta.

AIRE D'HIVERNAGE: Amérique du Sud.

HABITAT PRÉFÉRÉ: Bois clairsemés, repousses, broussailles.

LIEU DE NIDIFICATION PRÉFÉRÉ: Peu élevé dans les buissons ou les arbres, dans la végétation dense.

GROSSEUR DE LA COUVÉE: De 2 à 6 oeufs, habituellement 2 ou 4.

PÉRIODE D'INCUBATION: 14 jours.

PÉRIODE AU NID: De 7 à 9 jours.

COUVÉE PAR SAISON: 1.

NOURRITURE PRÉFÉRÉE: Insectes; fruits charnus.

TYTONIDÉS ET STRIGIDÉS –
HIBOUX, CHOUETTES

Effraie des clochers

(Common Barn-Owl)
(Tyto alba)

AIRE DE NIDIFICATION: Extrême-sud-ouest de la Colombie-Britannique, extrême sud de l'Ontario; observé au Québec.

AIRE D'HIVERNAGE: Réside dans l'aire de nidification mais se retire des parties plus au nord; du nord des États-Unis vers le sud.

HABITAT PRÉFÉRÉ: Bois, fermes, souvent près des habitations humaines.

LIEU DE NIDIFICATION PRÉFÉRÉ: Granges, édifices, nichoirs.

GROSSEUR DE LA COUVÉE: De 3 à 11 oeufs, habituellement de 5 à 7.

PÉRIODE D'INCUBATION: De 21 à 24 jours ou de 32 à 34 jours (selon la source d'information).

PÉRIODE AU NID: De 50 à 60 jours.

COUVÉES PAR SAISON: 1 ou 2.

NOURRITURE PRÉFÉRÉE: Souris.

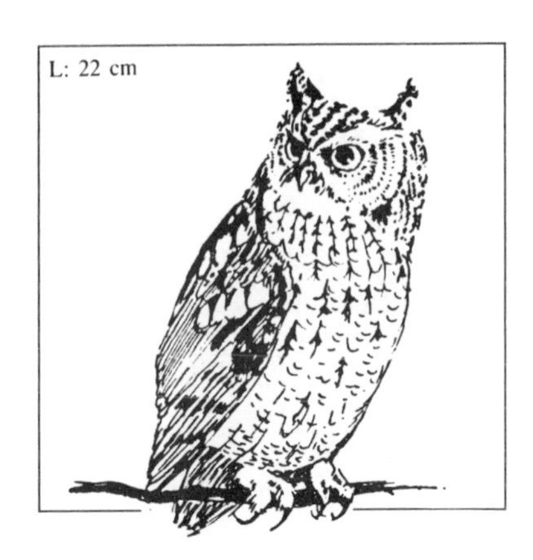

TYTONIDÉS ET STRIGIDÉS –
HIBOUX, CHOUETTES

Petit-duc maculé

(Easter Screech Owl)
(Otus asio)

AIRE DE NIDIFICATION: Sud-ouest de la Colombie-Britannique; sud du Manitoba et de l'Ontario, extrême-sud du Québec.

AIRE D'HIVERNAGE: Réside dans l'aire de nidification jusqu'au Mexique.

HABITAT PRÉFÉRÉ: Bois clairsemés et arbres le long des routes.

LIEU DE NIDIFICATION PRÉFÉRÉ: Cavités naturelles ou trous de pic abandonnés.

GROSSEUR DE LA COUVÉE: De 2 à 7 oeufs, normalement 4 ou 5.

PÉRIODE D'INCUBATION: De 21 à 30 jours.

PÉRIODE AU NID: 30 jours.

COUVÉE PAR SAISON: 1.

NOURRITURE PRÉFÉRÉE: Petits rongeurs et insectes.

L: 56 cm

TYTONIDÉS ET STRIGIDÉS — HIBOUX, CHOUETTES

Grand-duc d'Amérique

(Great Horned Owl)
(Budo virginianus)

AIRE DE NIDIFICATION: Partout au Canada, jusqu'à la limite des arbres.

AIRE D'HIVERNAGE: Réside en permanence dans l'aire de nidification jusqu'au sud du continent.

HABITAT PRÉFÉRÉ: Forêts, parcs urbains, champs.

LIEU DE NIDIFICATION PRÉFÉRÉ: Vieux nid de gros oiseaux, cavité dans un arbre.

GROSSEUR DE LA COUVÉE: De 1 à 3 oeufs, habituellement 2.

PÉRIODE D'INCUBATION: De 28 à 35 jours.

PÉRIODE AU NID: De 40 à 45 jours.

COUVÉE PAR SAISON: 1.

NOURRITURE PRÉFÉRÉE: Petits mammifères; oiseaux; reptiles.

L: 20 cm

TYTONIDÉS ET STRIGIDÉS — HIBOUX, CHOUETTES

Petite Nyctale

(Northern Saw-whet Owl)
(Aegolius acadicus)

AIRE DE NIDIFICATION: Partout dans le sud du Canada; côte de la Colombie-Britannique.

AIRE D'HIVERNAGE: Réside dans l'aire de nidification jusqu'au Mexique.

HABITAT PRÉFÉRÉ: Forêts, bosquets, fourrés.

LIEU DE NIDIFICATION PRÉFÉRÉ: Cavités d'arbres, nichoirs.

GROSSEUR DE LA COUVÉE: De 4 à 7 oeufs.

PÉRIODE D'INCUBATION: De 21 à 28 jours.

PÉRIODE AU NID: De 27 à 34 jours.

COUVÉE PAR SAISON: 1.

NOURRITURE PRÉFÉRÉE: Petits mammifères; insectes.

CAPRIMULGIDÉS — ENGOULEVENTS

Engoulevent bois-pourri
(Whip-poor-will)
(Caprimulgus vociferus)

AIRE DE NIDIFICATION: Nouvelle-Écosse, Nouveau-Brunswick, sud du Québec, de l'Ontario, du Manitoba.

AIRE D'HIVERNAGE: Floride et le long du golfe du Mexique; au sud jusqu'au Honduras.

HABITAT PRÉFÉRÉ: Bois clairsemés.

LIEU DE NIDIFICATION PRÉFÉRÉ: Pas de nid; dépose les oeufs sur le sol sec.

GROSSEUR DE LA COUVÉE: 2 oeufs.

PÉRIODE D'INCUBATION: 19 ou 20 jours.

PÉRIODE AU NID: Environ 15 jours.

COUVÉES PAR SAISON: 1 ou 2.

NOURRITURE PRÉFÉRÉE: Insectes volants.

CAPRIMULGIDÉS — ENGOULEVENTS

Engoulevent d'Amérique
(Common Nighthawk)
(Chordeiles minor)

AIRE DE NIDIFICATION: Sud du Labrador, provinces maritimes, centre et sud du Québec, Ontario, prairies et Colombie-Britannique, sud du Yukon et des territoires.

AIRE D'HIVERNAGE: Amérique du Sud.

HABITAT PRÉFÉRÉ: De la montagne à la plaine, du bois à la ville.

LIEU DE NIDIFICATION PRÉFÉRÉ: Sol nu, toits plats de gravier.

GROSSEUR DE LA COUVÉE: 1 ou 2 oeufs, habituellement 2.

PÉRIODE D'INCUBATION: 19 jours.

PÉRIODE AU NID: 21 jours.

COUVÉES PAR SAISON: 1 ou 2.

NOURRITURE PRÉFÉRÉE: Insectes volants.

APODIDÉS –
MARTINETS

Martinet ramoneur

(Chimney Swift)
(Chaetura pelagica)

AIRE DE NIDIFICATION: Sud du Canada, du Manitoba jusqu'aux provinces maritimes.

AIRE D'HIVERNAGE: Amérique du Sud.

HABITAT PRÉFÉRÉ: Le ciel, près des habitations humaines.

LIEU DE NIDIFICATION PRÉFÉRÉ: Cheminées, granges, troncs creux.

GROSSEUR DE LA COUVÉE: De 3 à 6 oeufs, habituellement 4 ou 5.

PÉRIODE D'INCUBATION: De 14 à 19 jours.

COUVÉE PAR SAISON: 1.

NOURRITURE PRÉFÉRÉE: Insectes volants.

TROCHILIDÉS –
COLIBRIS

Colibri à gorge rubis

(Ruby-throated Hummingbird)
(Archilochus colubris)

AIRE DE NIDIFICATION: Sud du Canada, de la Nouvelle-Écosse à l'Alberta.

AIRE D'HIVERNAGE: Mexique, Amérique centrale.

HABITAT PRÉFÉRÉ: Forêts mixtes, jardins.

LIEU DE NIDIFICATION PRÉFÉRÉ: Grosses branches d'arbre.

GROSSEUR DE LA COUVÉE: 2 oeufs.

PÉRIODE D'INCUBATION: De 11 à 16 jours.

PÉRIODE AU NID: De 14 à 31 jours.

COUVÉES PAR SAISON: 1 ou 2.

NOURRITURE PRÉFÉRÉE: Nectar; petits insectes; sève.

ALCÉDINIDÉS —
MARTINS-PÊCHEURS

Martin-pêcheur d'Amérique
(Belted Kingfisher)
(Ceryle alcyon)

AIRE DE NIDIFICATION: Partout au Canada, sauf dans l'extrême-nord du Québec, de l'Ontario et du Manitoba.

AIRE D'HIVERNAGE: Côte ouest, extrême-sud de l'Ontario; parfois dans le sud du Québec, en Nouvelle-Écosse, à l'Île-du-Prince-Édouard et au sud de Terre-Neuve; au sud, jusqu'en Amérique du Sud.

HABITAT PRÉFÉRÉ: Littoral.

LIEU DE NIDIFICATION PRÉFÉRÉ: Terrier sur les rivages des cours d'eau; banc de sable.

GROSSEUR DE LA COUVÉE: De 5 à 8 oeufs, habituellement 6 ou 7.

PÉRIODE D'INCUBATION: 23 ou 24 jours.

PÉRIODE AU NID: 31 ou 32 jours.

COUVÉE PAR SAISON: 1.

NOURRITURE PRÉFÉRÉE: Poissons; écrevisses; insectes.

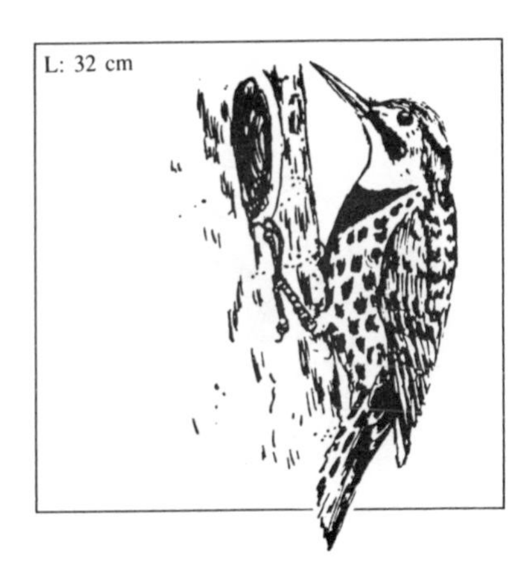

PICIDÉS —
PICS

Pic flamboyant
(Northern Flicker)
(Colaptes auratus)

AIRE DE NIDIFICATION: Partout au Canada sauf dans le nord-est du Québec et dans l'est des territoires.

AIRE D'HIVERNAGE: Sud de la Colombie-Britannique; parfois sud de l'Ontario, sud-ouest du Québec; au sud, jusqu'au Mexique.

HABITAT PRÉFÉRÉ: Bois et banlieues.

LIEU DE NIDIFICATION PRÉFÉRÉ: Cavités dans les arbres morts.

GROSSEUR DE LA COUVÉE: De 3 à 10 oeufs, habituellement de 6 à 8.

PÉRIODE D'INCUBATION: 11 ou 12 jours.

PÉRIODE AU NID: 23 jours.

COUVÉE PAR SAISON: 1.

NOURRITURE PRÉFÉRÉE: Fourmis, autres insectes; fruits sauvages.

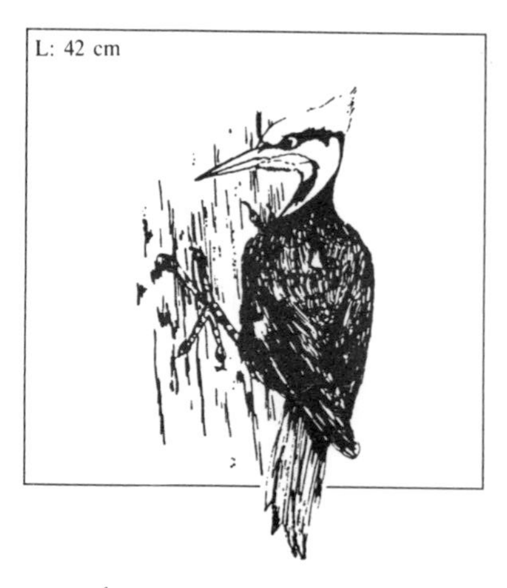

PICIDÉS —
PICS

Grand Pic

(Pileated Woodpecker)
(Dryocopus pileatus)

AIRE DE NIDIFICATION: Provinces maritimes; sud du Québec; centre et sud de l'Ontario; centre des prairies; Colombie-Britannique (sauf nord-ouest).

AIRE D'HIVERNAGE: Réside en permanence dans l'aire de nidification; au sud, jusqu'au golfe du Mexique.

HABITAT PRÉFÉRÉ: Des forêts denses aux parcs urbains.

LIEU DE NIDIFICATION PRÉFÉRÉ: Cavités dans les arbres.

GROSSEUR DE LA COUVÉE: 3 ou 4 oeufs.

PÉRIODE D'INCUBATION: 18 jours.

PÉRIODE AU NID: 26 jours.

COUVÉE PAR SAISON: 1.

NOURRITURE PRÉFÉRÉE: Fourmis charpentières et autres insectes, larves et adultes; fruits sauvages; glands, faînes.

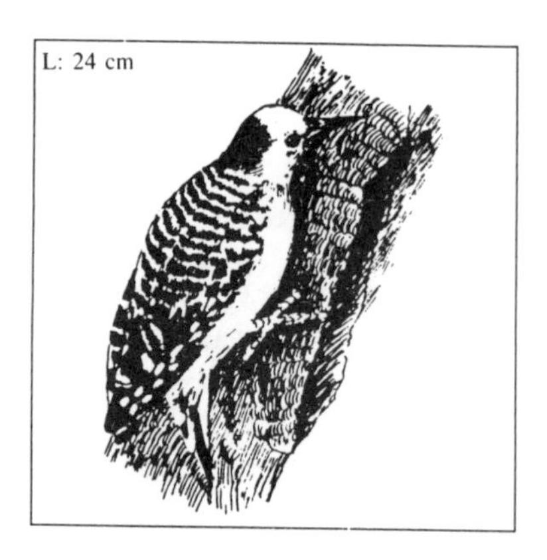

PICIDÉS —
PICS

Pic à ventre roux

(Red-bellied Woodpecker)
(Melanerpes carolinus)

AIRE DE NIDIFICATION: Rarement dans l'extrême-sud de l'Ontario; très rare en Saskatchewan, au Manitoba, au Québec et en Nouvelle-Écosse.

AIRE D'HIVERNAGE: Réside en permanence dans l'aire de nidification, sauf dans les parties plus au nord; au sud, jusqu'au golfe du Mexique.

HABITAT PRÉFÉRÉ: Des forêts aux villes.

LIEU DE NIDIFICATION PRÉFÉRÉ: Cavités dans les arbres; nichoirs.

GROSSEUR DE LA COUVÉE: De 3 à 8 oeufs, habituellement 4 ou 5.

PÉRIODE D'INCUBATION: 14 jours.

PÉRIODE AU NID: Aucune connue.

COUVÉES PAR SAISON: 1 ou 2.

NOURRITURE PRÉFÉRÉE: Insectes; faînes (non accumulées sur le sol des forêts); maïs; fruits sauvages.

PICIDÉS –
PICS

Pic à tête rouge

(Red-headed Woodpecker)
(Melanerpes erythrocephalus)

AIRE DE NIDIFICATION: Sud du Manitoba, de l'Ontario et extrême-sud du Québec.

AIRE D'HIVERNAGE: Rarement dans le sud de l'Ontario; tout l'est des États-Unis.

HABITAT PRÉFÉRÉ: Bosquets, fermes, villes.

LIEU DE NIDIFICATION PRÉFÉRÉ: Cavités dans les arbres morts et les poteaux.

GROSSEUR DE LA COUVÉE: De 4 à 7 oeufs, habituellement 5.

PÉRIODE D'INCUBATION: 14 jours.

PÉRIODE AU NID: Environ 27 jours.

COUVÉES PAR SAISON: 1 ou 2.

NOURRITURE PRÉFÉRÉE: Insectes; glands; fruits sauvages.

PICIDÉS –
PICS

Pic maculé

(Yellow-bellied Sapsucker)
(Sphyrapicus varius)

AIRE DE NIDIFICATION: Provinces maritimes, centre et sud du Québec et de l'Ontario, prairies et nord-est de la Colombie-Britannique, sud du Yukon et sud-ouest des territoires.

AIRE D'HIVERNAGE: Sud des États-Unis vers le sud.

HABITAT PRÉFÉRÉ: Forêts, bosquets, vergers.

LIEU DE NIDIFICATION PRÉFÉRÉ: Cavités dans les arbres.

GROSSEUR DE LA COUVÉE: De 4 à 7 oeufs, habituellement 5 ou 6.

PÉRIODE D'INCUBATION: De 12 à 14 jours.

PÉRIODE AU NID: De 24 à 26 jours.

COUVÉE PAR SAISON: 1.

NOURRITURE PRÉFÉRÉE: Sève; insectes; fruits; baies.

PICIDÉS –
PICS

Pic chevelu

(Hairy Woodpecker)
(Picoides villosus)

AIRE DE NIDIFICATION: Partout au Canada, sauf dans le nord du Labrador, des territoires, du Québec, de l'Ontario et le nord-est du Manitoba.

AIRE D'HIVERNAGE: Réside en permanence dans l'aire de nidification jusqu'au Mexique.

HABITAT PRÉFÉRÉ: Bois avec arbres matures vivants et morts; marais boisés; régions résidentielles.

LIEU DE NIDIFICATION PRÉFÉRÉ: Cavités, de préférence dans les arbres vivants.

GROSSEUR DE LA COUVÉE: De 3 à 6 oeufs, habituellement 4.

PÉRIODE D'INCUBATION: 11 ou 12 jours; on a rapporté aussi 15 jours.

PÉRIODE AU NID: De 28 à 30 jours.

COUVÉES PAR SAISON: 1; 2 dans le sud.

NOURRITURE PRÉFÉRÉE: Cafards, larves et adultes; fourmis; fruits; noix; maïs.

PICIDÉS –
PICS

Pic mineur

(Downy Woodpecker)
(Picoides pubescens)

AIRE DE NIDIFICATION: Partout au Canada, sauf au Labrador, dans le nord du Québec, de l'Ontario, du Manitoba, des territoires et du Yukon.

AIRE D'HIVERNAGE: Réside en permanence dans l'aire de nidification; au sud, jusqu'au golfe du Mexique.

HABITAT PRÉFÉRÉ: Forêts mixtes, banlieues, villes.

LIEU DE NIDIFICATION PRÉFÉRÉ: Cavités dans les arbres; accepte les nichoirs.

GROSSEUR DE LA COUVÉE: De 3 à 6 oeufs, habituellement 4 ou 5.

PÉRIODE D'INCUBATION: 12 jours.

PÉRIODE AU NID: De 20 à 22 jours.

COUVÉES PAR SAISON: 1; 2 dans le sud.

NOURRITURE PRÉFÉRÉE: Insectes.

L: 24 cm

PICIDÉS –
PICS

Pic à dos noir

(Black-backed Woodpecker)
(Picoides arcticus)

AIRE DE NIDIFICATION: Partout au Canada, sauf dans le nord du Labrador, du Québec, de l'Ontario, du Manitoba, des territoires et du Yukon, et dans le sud des prairies.

AIRE D'HIVERNAGE: Réside en permanence dans l'aire de nidification; erre irrégulièrement plus au sud.

HABITAT PRÉFÉRÉ: Forêts de conifères.

LIEU DE NIDIFICATION PRÉFÉRÉ: Cavités creusées dans les arbres ou les poteaux.

GROSSEUR DE LA COUVÉE: De 2 à 6 oeufs, habituellement 4.

PÉRIODE D'INCUBATION: 14 jours.

PÉRIODE AU NID: Aucune connue.

COUVÉE PAR SAISON: 1.

NOURRITURE PRÉFÉRÉE: Insectes.

L: 22 cm

PICIDÉS –
PICS

Pic tridactyle

(Three-toed Woodpecker)
(Picoides tridactylus)

AIRE DE NIDIFICATION: Partout au Canada, sauf dans l'extrême-nord du Québec et dans le sud des prairies.

AIRE D'HIVERNAGE: Réside en permanence dans l'aire de nidification; ouest des États-Unis.

HABITAT PRÉFÉRÉ: Forêts de conifères.

LIEU DE NIDIFICATION PRÉFÉRÉ: Cavités dans les conifères morts.

GROSSEUR DE LA COUVÉE: 4 oeufs.

PÉRIODE D'INCUBATION: 14 jours.

PÉRIODE AU NID: Aucune connue.

COUVÉE PAR SAISON: 1.

NOURRITURE PRÉFÉRÉE: Insectes.

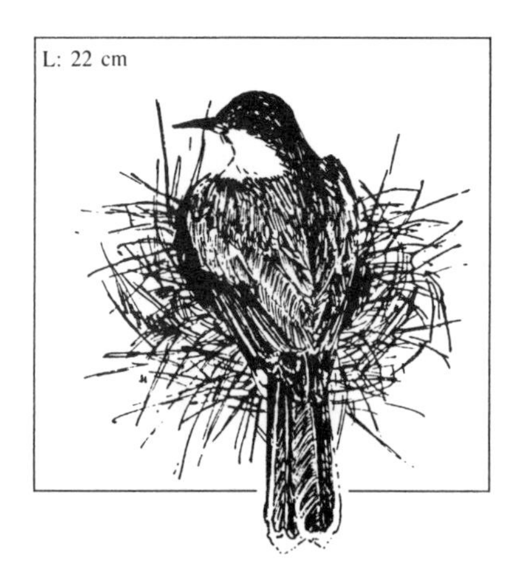

TYRANNIDÉS —
TYRANS, MOUCHEROLLES

Tyran tritri

(Eastern Kingbird)
(Tyrannus tyrannus)

AIRE DE NIDIFICATION: Provinces maritimes, sud du Québec, centre et sud de l'Ontario et du Manitoba, prairies, Colombie-Britannique.

AIRE D'HIVERNAGE: Amérique centrale et Amérique du Sud.

HABITAT PRÉFÉRÉ: Lisières des bois, fermes, bords des routes.

LIEU DE NIDIFICATION PRÉFÉRÉ: Arbres, arbustes, poteaux.

GROSSEUR DE LA COUVÉE: De 3 à 6 oeufs, habituellement 3.

PÉRIODE D'INCUBATION: 12 ou 13 jours.

PÉRIODE AU NID: De 13 à 17 jours.

COUVÉE PAR SAISON: 1.

NOURRITURE PRÉFÉRÉE: Insectes volants; fruits sauvages.

TYRANNIDÉS —
TYRANS, MOUCHEROLLES

Moucherolle phébi

(Eastern Phoebe)
(Sayornis phoebe)

AIRE DE NIDIFICATION: Provinces maritimes; sud-ouest du Québec, sud de l'Ontario; prairies, sauf l'extrême-sud; sud des territoires.

AIRE D'HIVERNAGE: Du Maryland, le long de la côte Atlantique jusqu'au Mexique.

HABITAT PRÉFÉRÉ: Petits bois, fermes, villes, bords des routes.

LIEU DE NIDIFICATION PRÉFÉRÉ: Saillies, ponts, édifices.

GROSSEUR DE LA COUVÉE: De 3 à 8 oeufs, habituellement 5.

PÉRIODE D'INCUBATION: De 15 à 17 jours.

PÉRIODE AU NID: De 15 à 17 jours.

COUVÉES PAR SAISON: 2.

NOURRITURE PRÉFÉRÉE: Insectes volants.

TYRANNIDÉS –
TYRANS, MOUCHEROLLES

Moucherolle à ventre roux

(Say's Phoebe)
(Sayornis saya)

AIRE DE NIDIFICATION: Rare dans les provinces maritimes, le sud-ouest du Québec, le sud de l'Ontario et des prairies; ouest de la Colombie-Britannique et des territoires; Yukon.

AIRE D'HIVERNAGE: Du nord de la Californie jusqu'au Texas.

HABITAT PRÉFÉRÉ: Terres arides, ranches.

LIEU DE NIDIFICATION PRÉFÉRÉ: Saillies, ponts, édifices.

GROSSEUR DE LA COUVÉE: De 4 à 7 oeufs, habituellement 4 ou 5.

PÉRIODE D'INCUBATION: Environ 12 jours.

PÉRIODE AU NID: 14 jours.

COUVÉES PAR SAISON: 2.

NOURRITURE PRÉFÉRÉE: Insectes volants.

TYRANNIDÉS –
TYRANS, MOUCHEROLLES

Moucherolle des saules

(Willow Flycatcher)
(Empidonax traillii)

AIRE DE NIDIFICATION: Sud-ouest du Québec, sud-est de l'Ontario, sud des prairies et de la Colombie-Britannique.

AIRE D'HIVERNAGE: Amérique centrale et Amérique du Sud.

HABITAT PRÉFÉRÉ: Fourrés, vergers, banlieues.

LIEU DE NIDIFICATION PRÉFÉRÉ: Saillies, ponts, édifices.

GROSSEUR DE LA COUVÉE: De 3 à 5 oeufs, habituellement 3 ou 4.

PÉRIODE D'INCUBATION: De 12 à 15 jours.

PÉRIODE AU NID: De 15 à 18 jours.

COUVÉE PAR SAISON: 1.

NOURRITURE PRÉFÉRÉE: Insectes volants.

TYRANNIDÉS —
TYRANS, MOUCHEROLLES

Moucherolle tchébec

(Least Flycatcher)
(Empidonax minimus)

AIRE DE NIDIFICATION: Partout au Canada, sauf à Terre-Neuve, dans le nord du Québec, de l'Ontario et du Manitoba; dans l'ouest de la Colombie-Britannique et du Yukon; et dans l'est des territoires.

AIRE D'HIVERNAGE: Mexique et Amérique centrale.

HABITAT PRÉFÉRÉ: Petits bois, vergers.

LIEU DE NIDIFICATION PRÉFÉRÉ: Fourches dans les petits arbres.

GROSSEUR DE LA COUVÉE: De 3 à 6 oeufs, habituellement 3 ou 4.

PÉRIODE D'INCUBATION: 14 jours.

PÉRIODE AU NID: De 14 à 16 jours.

COUVÉES PAR SAISON: 1 ou 2.

NOURRITURE PRÉFÉRÉE: Insectes volants.

TYRANNIDÉS —
TYRANS, MOUCHEROLLES

Pioui de l'Est

(Eastern Wood-Pewee)
(Contopus virens)

AIRE DE NIDIFICATION: Provinces maritimes, sud du Québec, de l'Ontario et du Manitoba.

AIRE D'HIVERNAGE: Amérique centrale et Amérique du sud.

HABITAT PRÉFÉRÉ: Bois, vergers, arbres le long des routes.

LIEU DE NIDIFICATION PRÉFÉRÉ: Branches de gros arbres.

GROSSEUR DE LA COUVÉE: De 2 à 4 oeufs, habituellement 3.

PÉRIODE D'INCUBATION: 12 ou 13 jours.

PÉRIODE AU NID: De 15 à 18 jours.

COUVÉES PAR SAISON: 1; parfois 2.

NOURRITURE PRÉFÉRÉE: Insectes.

ALAUDIDÉS —
ALOUETTES

Alouette cornue

(Horned Lark)
(Eremophila alpestris)

AIRE DE NIDIFICATION: Partout au Canada.

AIRE D'HIVERNAGE: De l'Extrême-sud du Canada jusqu'au sud du continent.

HABITAT PRÉFÉRÉ: Campagne, plaines, déserts, champs, terrains de golf, toundra, aéroports, littoral.

LIEU DE NIDIFICATION PRÉFÉRÉ: Sur le sol.

GROSSEUR DE LA COUVÉE: De 3 à 5 oeufs, habituellement 4.

PÉRIODE D'INCUBATION: 11 jours.

PÉRIODE AU NID: De 10 à 12 jours.

COUVÉES PAR SAISON: 2.

NOURRITURE PRÉFÉRÉE: Insectes; graines.

HIRUNDINIDÉS —
HIRONDELLES

Hirondelle bicolore

(Tree Swallow)
(Tachycineta bicolor)

AIRE DE NIDIFICATION: Partout au Canada, sauf dans l'extrême-nord du Québec et du Yukon et dans l'est des territoires.

AIRE D'HIVERNAGE: Sud des États-Unis et Amérique centrale.

HABITAT PRÉFÉRÉ: Marais boisés, près de l'eau.

LIEU DE NIDIFICATION PRÉFÉRÉ: Cavités naturelles dans les arbres, vieux trous de pic, nichoirs.

GROSSEUR DE LA COUVÉE: De 4 à 7 oeufs, habituellement 5 ou 6.

PÉRIODE D'INCUBATION: De 13 à 16 jours.

PÉRIODE AU NID: De 16 à 24 jours.

COUVÉE PAR SAISON: 1.

NOURRITURE PRÉFÉRÉE: Insectes volants; baies; graines.

L: 17 cm

HIRUNDINIDÉS — HIRONDELLES

Hirondelle des granges
(Barn Swallow)
(Hirundo rustica)

AIRE DE NIDIFICATION: Partout au Canada, sauf dans le nord du Québec, de l'Ontario, du Manitoba, des territoires et du Yukon.

AIRE D'HIVERNAGE: Amérique du Sud.

HABITAT PRÉFÉRÉ: Fermes et régions résidentielles.

LIEU DE NIDIFICATION PRÉFÉRÉ: Sur ou dans les édifices, ou tout près; niche souvent en colonies.

GROSSEUR DE LA COUVÉE: De 4 à 6 oeufs, habituellement 4 ou 5.

PÉRIODE D'INCUBATION: 15 jours.

PÉRIODE AU NID: De 16 à 23 jours.

COUVÉES PAR SAISON: 1 ou 2.

NOURRITURE PRÉFÉRÉE: Insectes.

L: 14 cm

HIRUNDINIDÉS — HIRONDELLES

Hirondelle à front blanc
(Cliff Swallow)
(Hirundo pyrrhonota)

AIRE DE NIDIFICATION: Partout au Canada, sauf dans le nord du Québec et l'est des territoires.

AIRE D'HIVERNAGE: Amérique du Sud.

HABITAT PRÉFÉRÉ: Terrains vagues à semi-boisés, fermes, rivières et lacs, villages.

LIEU DE NIDIFICATION PRÉFÉRÉ: Sous les ponts, les avant-toits des édifices, dans les falaises; niche presque toujours en colonies.

GROSSEUR DE LA COUVÉE: De 3 à 6 oeufs, habituellement 4 ou 5.

PÉRIODE D'INCUBATION: 15 ou 16 jours.

PÉRIODE AU NID: 24 jours.

COUVÉES PAR SAISON: 1 ou 2.

NOURRITURE PRÉFÉRÉE: Insectes volants.

L: 20 cm

HIRUNDINIDÉS — HIRONDELLES

Hirondelle noire

(Purple Martin)
(Progne subis)

AIRE DE NIDIFICATION: Terre-Neuve, provinces maritimes, extrême-sud du Québec et de l'Ontario, sud du Manitoba, centre de la Saskatchewan, de l'Alberta et de la Colombie-Britannique.

AIRE D'HIVERNAGE: Amérique du Sud.

HABITAT PRÉFÉRÉ: Fermes, parcs, régions résidentielles près de l'eau.

LIEU DE NIDIFICATION PRÉFÉRÉ: Anciennement dans les cavités d'arbres; maintenant, presque exclusivement dans les nichoirs; niche en colonies.

GROSSEUR DE LA COUVÉE: De 3 à 8 oeufs, habituellement 4 ou 5.

PÉRIODE D'INCUBATION: De 15 à 18 jours.

PÉRIODE AU NID: De 26 à 31 jours.

COUVÉE PAR SAISON: Habituellement 1.

NOURRITURE PRÉFÉRÉE: Insectes volants.

L: 29 cm

CORVIDÉS — GEAIS, CORNEILLES, PIES, ETC.

Geai du Canada

(Gray Jay)
(Perisoreus canadensis)

AIRE DE NIDIFICATION: Partout au Canada, sauf dans le nord du Québec, des territoires et du Yukon, et dans le sud des prairies.

AIRE D'HIVERNAGE: Réside en permanence dans l'aire de nidification, mais certains errent dans le sud.

HABITAT PRÉFÉRÉ: Forêts de conifères.

LIEU DE NIDIFICATION PRÉFÉRÉ: Conifères.

GROSSEUR DE LA COUVÉE: De 2 à 5 oeufs, habituellement 3 ou 4.

PÉRIODE D'INCUBATION: De 16 à 18 jours.

PÉRIODE AU NID: 15 jours.

COUVÉE PAR SAISON: 1.

NOURRITURE PRÉFÉRÉE: Omnivore — insectes; fruits; graines; bourgeons.

**CORVIDÉS –
GEAIS, CORNEILLES, PIES, ETC.**

Geai bleu

(Blue Jay)
(Cyanocitta cristata)

AIRE DE NIDIFICATION: Sud du Canada, de Terre-Neuve à la Saskatchewan; centre de l'Alberta et de la Colombie-Britannique.

AIRE D'HIVERNAGE: Réside en permanence dans l'aire de nidification, sauf les parties plus au nord; au sud, jusqu'au golfe du Mexique.

HABITAT PRÉFÉRÉ: Terrains boisés, parcs, jardins, villes.

LIEU DE NIDIFICATION PRÉFÉRÉ: Arbres.

GROSSEUR DE LA COUVÉE: De 3 à 7 oeufs, habituellement 4 ou 5.

PÉRIODE D'INCUBATION: 17 ou 18 jours.

PÉRIODE AU NID: De 17 à 21 jours.

COUVÉES PAR SAISON: 1; 2 dans le sud.

NOURRITURE PRÉFÉRÉE: Omnivore – graines; fruits; glands; jeunes souris; oisillons.

**CORVIDÉS –
GEAIS, CORNEILLES, PIES, ETC.**

Corneille d'Amérique

(American Crow)
(Corvus brachyrhynchos)

AIRE DE NIDIFICATION: Terre-Neuve, provinces maritimes, centre et sud du Québec, Ontario, prairies et Colombie-Britannique.

AIRE D'HIVERNAGE: Surtout dans le sud du Canada et aux États-Unis.

HABITAT PRÉFÉRÉ: Terrains boisés, fermes, littoral.

LIEU DE NIDIFICATION PRÉFÉRÉ: Fourches dans les arbres.

GROSSEUR DE LA COUVÉE: De 3 à 9 oeufs, habituellement 4 ou 5.

PÉRIODE D'INCUBATION: De 18 à 21 jours.

PÉRIODE AU NID: 25 jours.

COUVÉES PAR SAISON: 1; 2 dans le sud.

NOURRITURE PRÉFÉRÉE: Omnivore – céréales; insectes; charogne.

PARIDÉS —
MÉSANGES TYPIQUES

Mésange à tête noire

(Black-capped Chickadee)
(Parus atricapillus)

AIRE DE NIDIFICATION: Partout au Canada, sauf dans le nord du Québec, de l'Ontario, du Manitoba, des territoires et du Yukon, et dans le sud-ouest de la Colombie-Britannique.

AIRE D'HIVERNAGE: Réside en permanence dans l'aire de nidification; au sud, jusqu'au centre des États-Unis.

HABITAT PRÉFÉRÉ: Forêts mixtes et à feuillage caduque, lisières des bois, jardins, villes.

LIEU DE NIDIFICATION PRÉFÉRÉ: Cavités dans les arbres morts ou les souches; nichoirs.

GROSSEUR DE LA COUVÉE: De 4 à 13 oeufs, habituellement de 6 à 8.

PÉRIODE D'INCUBATION: De 11 à 13 jours.

PÉRIODE AU NID: 16 jours.

COUVÉES PAR SAISON: 1 ou 2.

NOURRITURE PRÉFÉRÉE: Insectes; graines; fruits.

PARIDÉS —
MÉSANGES TYPIQUES

Mésange à tête brune

(Boreal Chickadee)
(Parus hudsonicus)

AIRE DE NIDIFICATION: Partout au Canada, sauf dans le nord du Québec et des territoires et dans le sud des prairies.

AIRE D'HIVERNAGE: Réside en permanence dans l'aire de nidification; peut errer dans l'État de New York et au New Jersey.

HABITAT PRÉFÉRÉ: Forêts de conifères.

LIEU DE NIDIFICATION PRÉFÉRÉ: Cavités dans les arbres ou les souches pourris.

GROSSEUR DE LA COUVÉE: De 4 à 9 oeufs, habituellement 6 ou 7.

PÉRIODE D'INCUBATION: De 12 à 14 jours.

PÉRIODE AU NID: 18 jours.

COUVÉE PAR SAISON: 1.

NOURRITURE PRÉFÉRÉE: Insectes; graines; baies.

L: 17 cm

PARIDÉS —
MÉSANGES TYPIQUES

Mésange bicolore
(Tufted Titmouse)
(Parus bicolor)

AIRE DE NIDIFICATION: Inusité au Québec et au Nouveau-Brunswick; rare dans le sud de l'Ontario.

AIRE D'HIVERNAGE: Réside en permanence dans l'aire de nidification, jusqu'au sud du continent.

HABITAT PRÉFÉRÉ: Marais, forêts d'arbres à feuillage caduque, arbres le long des routes.

LIEU DE NIDIFICATION PRÉFÉRÉ: Cavités naturelles dans les arbres; nichoirs.

GROSSEUR DE LA COUVÉE: De 4 à 8 oeufs, habituellement 5 ou 6.

PÉRIODE D'INCUBATION: De 12 à 14 jours.

PÉRIODE AU NID: De 15 à 18 jours.

COUVÉE PAR SAISON: 1.

NOURRITURE PRÉFÉRÉE: Insectes; graines; faînes; fruits.

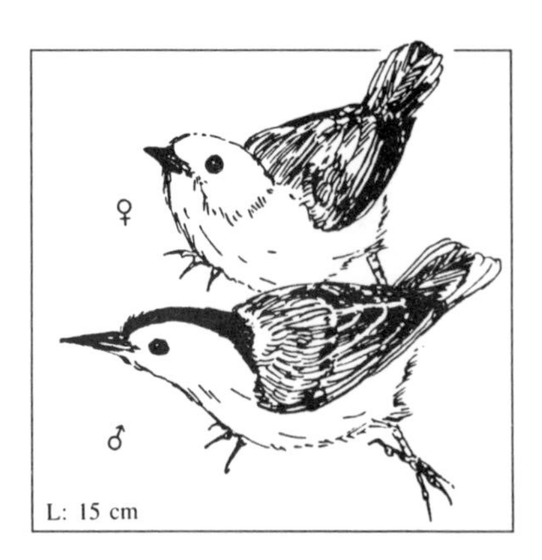

L: 15 cm

SITTIDÉS —
SITTELLES

Sittelle à poitrine blanche
(White-breasted Nuthatch)
(Sitta carolinensis)

AIRE DE NIDIFICATION: Provinces maritimes, sud-ouest du Québec, sud de l'Ontario, sud des prairies et de la Colombie-Britannique.

AIRE D'HIVERNAGE: Réside en permanence dans l'aire de nidification jusqu'au Mexique; erre en hiver.

HABITAT PRÉFÉRÉ: Des forêts mixtes aux banlieues.

LIEU DE NIDIFICATION PRÉFÉRÉ: Cavités dans les arbres; nichoirs.

GROSSEUR DE LA COUVÉE: De 4 à 10 oeufs, habituellement 8.

PÉRIODE D'INCUBATION: 12 ou 13 jours.

PÉRIODE AU NID: 14 jours.

COUVÉE PAR SAISON: 1.

NOURRITURE PRÉFÉRÉE: Insectes; graines; fruits; faînes.

SITTIDÉS –
SITTELLES

Sittelle à poitrine rousse

(Red-breasted Nuthatch)
(Sitta canadensis)

AIRE DE NIDIFICATION: Centre et sud du Canada; dans l'ouest; jusqu'au Yukon.

AIRE D'HIVERNAGE: Hiverne dans son aire de nidification jusque dans le sud des États-Unis.

HABITAT PRÉFÉRÉ: Forêts de conifères.

LIEU DE NIDIFICATION PRÉFÉRÉ: Cavités dans les conifères morts; nichoirs.

GROSSEUR DE LA COUVÉE: De 4 à 8 oeufs, habituellement de 5 à 8.

PÉRIODE D'INCUBATION: 12 jours.

PÉRIODE AU NID: 21 jours.

COUVÉE PAR SAISON: 1.

NOURRITURE PRÉFÉRÉE: Insectes; graines.

CERTHIIDÉS –
GRIMPEREAUX

Grimpereau brun

(Brown Creeper)
(Certhia americana)

AIRE DE NIDIFICATION: Terre-Neuve, provinces maritimes, sud et centre du Québec, de l'Ontario, du Manitoba, centre de la Saskatchewan et de l'Alberta, et sud de la Colombie-Britannique.

AIRE D'HIVERNAGE: Sud de l'Alberta et de la Saskatchewan; côte ouest; États-Unis et Mexique.

HABITAT PRÉFÉRÉ: Terrains boisés, marais, arbres le long des routes.

LIEU DE NIDIFICATION PRÉFÉRÉ: Sous un morceau d'écorce peu élevé sur un arbre.

GROSSEUR DE LA COUVÉE: De 4 à 9 oeufs, habituellement 5 ou 6.

PÉRIODE D'INCUBATION: De 11 à 15 jours.

PÉRIODE AU NID: De 13 à 15 jours.

COUVÉES PAR SAISON: 1 ou 2.

NOURRITURE PRÉFÉRÉE: Insectes, oeufs et larves d'insectes et d'araignées.

L: 12 cm

TROGLODYTIDÉS –
TROGLODYTES

Troglodyte familier

(House Wren)
(Troglodytes aedon)

AIRE DE NIDIFICATION: Sud du Nouveau-Brunswick, du Québec, de l'Ontario, des prairies; du sud au nord-est de l'Alberta et sud-est de la Colombie-Britannique.

AIRE D'HIVERNAGE: Sud des États-Unis et Mexique.

HABITAT PRÉFÉRÉ: Bois, fourrés, fermes, jardins.

LIEU DE NIDIFICATION PRÉFÉRÉ: N'importe quelle cavité, incluant les nichoirs.

GROSSEUR DE LA COUVÉE: De 5 à 8 oeufs, habituellement 6 ou 7.

PÉRIODE D'INCUBATION: De 12 à 15 jours.

PÉRIODE AU NID: De 12 à 18 jours.

COUVÉES PAR SAISON: 2.

NOURRITURE PRÉFÉRÉE: Insectes.

L: 10 cm

TROGLODYTIDÉS –
TROGLODYTES

Troglodyte des forêts

(Winter Wren)
(Troglodytes troglodytes)

AIRE DE NIDIFICATION: Terre-Neuve, provinces maritimes, centre et sud du Québec et de l'Ontario, centre des prairies, Colombie-Britannique.

AIRE D'HIVERNAGE: Rarement dans les maritimes et au sud-ouest du Québec; sud de l'Ontario et côte de la Colombie-Britannique; sud des États-Unis.

HABITAT PRÉFÉRÉ: De la forêt de conifères aux amas de broussailles.

LIEU DE NIDIFICATION PRÉFÉRÉ: Fouillis près du sol.

GROSSEUR DE LA COUVÉE: De 4 à 7 oeufs, habituellement 5 ou 6.

PÉRIODE D'INCUBATION: De 14 à 16 jours.

PÉRIODE AU NID: 14 jours.

COUVÉES PAR SAISON: 2.

NOURRITURE PRÉFÉRÉE: Insectes.

TROGLODYTIDÉS –
TROGLODYTES

Troglodyte de Bewick

(Bewick's Wren)
(Thryomanes bewickii)

AIRE DE NIDIFICATION: Sud-ouest de la Colombie-Britannique, extrême-sud de l'Ontario.

AIRE D'HIVERNAGE: Sud et ouest des États-Unis, Mexique.

HABITAT PRÉFÉRÉ: Terrains boisés, fourrés, fermes, jardins.

LIEU DE NIDIFICATION PRÉFÉRÉ: Cavités ou nichoirs.

GROSSEUR DE LA COUVÉE: De 4 à 11 oeufs, habituellement de 5 à 7.

PÉRIODE D'INCUBATION: 14 jours.

PÉRIODE AU NID: 14 jours.

COUVÉES PAR SAISON: 2; 3 dans le sud.

NOURRITURE PRÉFÉRÉE: Insectes.

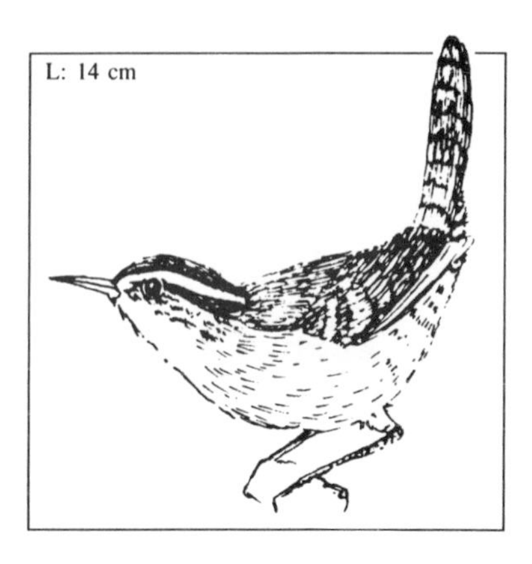

TROGLODYTIDÉS –
TROGLODYTES

Troglodyte de Caroline

(Carolina Wren)
(Thryothorus ludovicianus)

AIRE DE NIDIFICATION: Sud-ouest du Québec et sud de l'Ontario.

AIRE D'HIVERNAGE: Réside en permanence dans l'aire de nidification; au sud, jusqu'au Mexique.

HABITAT PRÉFÉRÉ: Fourrés, jardins.

LIEU DE NIDIFICATION PRÉFÉRÉ: N'importe quelle cavité ou nichoir.

GROSSEUR DE LA COUVÉE: De 4 à 8 oeufs, habituellement 5.

PÉRIODE D'INCUBATION: De 12 à 14 jours.

PÉRIODE AU NID: De 12 à 14 jours.

COUVÉES PAR SAISON: 2 ou 3.

NOURRITURE PRÉFÉRÉE: Insectes.

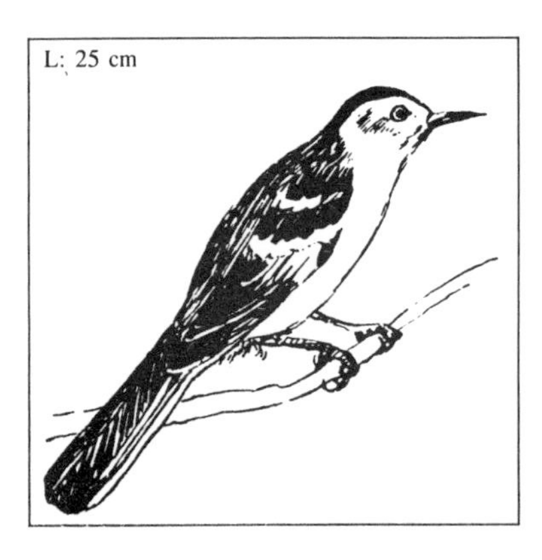

MIMIDÉS –
MOQUEURS

Moqueur polyglotte
(Northern Mockingbird)
(Mimus polyglottos)

AIRE DE NIDIFICATION: Pointe est de Terre-Neuve, provinces maritimes, sud du Québec, de l'Ontario et des prairies.

AIRE D'HIVERNAGE: Réside en permanence dans l'aire de nidification; partiellement migrateur dans les parties plus au nord; se retire plus au sud.

HABITAT PRÉFÉRÉ: Du désert et des broussailles aux fermes et aux villes.

LIEU DE NIDIFICATION PRÉFÉRÉ: Buissons ou arbres denses.

GROSSEUR DE LA COUVÉE: De 3 à 6 oeufs, habituellement 4 ou 5.

PÉRIODE D'INCUBATION: De 12 à 14 jours.

PÉRIODE AU NID: De 10 à 13 jours.

COUVÉES PAR SAISON: 2; souvent 3 dans le sud.

NOURRITURE PRÉFÉRÉE: Insectes; fruits; baies; graines.

MIMIDÉS –
MOQUEURS

Moqueur chat
(Catbird)
(Dumetella carolinensis)

AIRE DE NIDIFICATION: Provinces maritimes, sud-ouest du Québec, sud de l'Ontario, des prairies et de la Colombie-Britannique.

AIRE D'HIVERNAGE: Côte est des États-Unis, Floride, Mexique.

HABITAT PRÉFÉRÉ: Fourrés secs ou humides; haies.

LIEU DE NIDIFICATION PRÉFÉRÉ: Près du sol dans un fourré.

GROSSEUR DE LA COUVÉE: De 3 à 6 oeufs, habituellement 4.

PÉRIODE D'INCUBATION: De 12 à 15 jours.

PÉRIODE AU NID: De 9 à 16 jours, habituellement 10 ou 11.

COUVÉES PAR SAISON: 2; parfois 3.

NOURRITURE PRÉFÉRÉE: Insectes; fruits; baies.

MIMIDÉS —
MOQUEURS

Moqueur roux

(Brown Thrasher)
(Toxostoma rufum)

AIRE DE NIDIFICATION: Sud du Nouveau-Brunswick, du Québec, de l'Ontario et des prairies.

AIRE D'HIVERNAGE: Côte est des États-Unis, Floride, golfe du Mexique.

HABITAT PRÉFÉRÉ: Fourrés secs.

LIEU DE NIDIFICATION PRÉFÉRÉ: Fourrés.

GROSSEUR DE LA COUVÉE: De 2 à 6 oeufs, habituellement 4.

PÉRIODE D'INCUBATION: De 11 à 14 jours.

PÉRIODE AU NID: 12 ou 13 jours.

COUVÉES PAR SAISON: 2; parfois 3 dans le sud.

NOURRITURE PRÉFÉRÉE: Insectes; baies; fruits; céréales.

MUSCICAPIDÉS —
ROITELETS, MERLES, GRIVES, ETC.

Merle d'Amérique

(American Robin)
(Turdus migratorius)

AIRE DE NIDIFICATION: Partout au Canada, sauf dans l'extrême-nord du Québec et dans l'est des territoires.

AIRE D'HIVERNAGE: Provinces maritimes, sud-ouest du Québec, sud de l'Ontario et de la Colombie-Britannique; au sud, jusqu'en Amérique centrale.

HABITAT PRÉFÉRÉ: Du bois et des marais à la ville.

LIEU DE NIDIFICATION PRÉFÉRÉ: Arbres ou nichoirs.

GROSSEUR DE LA COUVÉE: De 2 à 7 oeufs, habituellement 3 ou 4.

PÉRIODE D'INCUBATION: De 11 à 14 jours.

PÉRIODE AU NID: De 9 à 16 jours.

COUVÉES PAR SAISON: 2 ou 3.

NOURRITURE PRÉFÉRÉE: Fruits; vers de terre; insectes.

MUSCICAPIDÉS –
ROITELETS, MERLES, GRIVES, ETC.

Grive des bois

(Wood Thrush)
(Hylocichla mustelina)

AIRE DE NIDIFICATION: Sud du Nouveau-Brunswick, de la Nouvelle-Écosse, du Québec et de l'Ontario.

AIRE D'HIVERNAGE: Côte du Mexique et Amérique centrale.

HABITAT PRÉFÉRÉ: Bois humides, arbres le long des routes.

LIEU DE NIDIFICATION PRÉFÉRÉ: Arbres ou arbustes.

GROSSEUR DE LA COUVÉE: De 2 à 5 oeufs, habituellement 3 ou 4.

PÉRIODE D'INCUBATION: 13 ou 14 jours.

PÉRIODE AU NID: De 12 à 14 jours.

COUVÉES PAR SAISON: 1 ou 2; 3 dans le sud.

NOURRITURE PRÉFÉRÉE: Insectes; fruits.

MUSCICAPIDÉS –
ROITELETS, MERLES, GRIVES, ETC.

Grive solitaire

(Hermit Thrush)
(Catharus guttatus)

AIRE DE NIDIFICATION: Partout au Canada, sauf dans le nord du Québec, des territoires et du Yukon, et dans le sud des prairies.

AIRE D'HIVERNAGE: Sud-ouest de la Colombie-Britannique; occasionnellement dans le sud de l'Ontario; côtes américaines; du sud des États-Unis jusqu'en Amérique centrale.

HABITAT PRÉFÉRÉ: Forêts mixtes humides, fourrés.

LIEU DE NIDIFICATION PRÉFÉRÉ: Sur le sol ou dans les petits arbres.

GROSSEUR DE LA COUVÉE: De 3 à 6 oeufs, habituellement 3 ou 4.

PÉRIODE D'INCUBATION: 12 jours.

PÉRIODE AU NID: 12 jours.

COUVÉES PAR SAISON: De 1 à 3.

NOURRITURE PRÉFÉRÉE: Insectes; fruits.

L: 18 cm

MUSCICAPIDÉS –
ROITELETS, MERLES, GRIVES, ETC.

Grive à dos olive

(Swainson's Thrush)
(Catharus ustulatus)

AIRE DE NIDIFICATION: Partout au Canada, sauf dans le nord du Québec, des territoires et du Yukon, et dans le sud des prairies.

AIRE D'HIVERNAGE: Amérique centrale et Amérique du sud.

HABITAT PRÉFÉRÉ: Fourrés, bois des rivières, conifères.

LIEU DE NIDIFICATION PRÉFÉRÉ: Arbustes ou petits arbres.

GROSSEUR DE LA COUVÉE: De 3 à 5 oeufs, habituellement 4.

PÉRIODE D'INCUBATION: De 10 à 13 jours.

PÉRIODE AU NID: De 10 à 12 jours.

COUVÉE PAR SAISON: 1.

NOURRITURE PRÉFÉRÉE: Insectes; fruits sauvages.

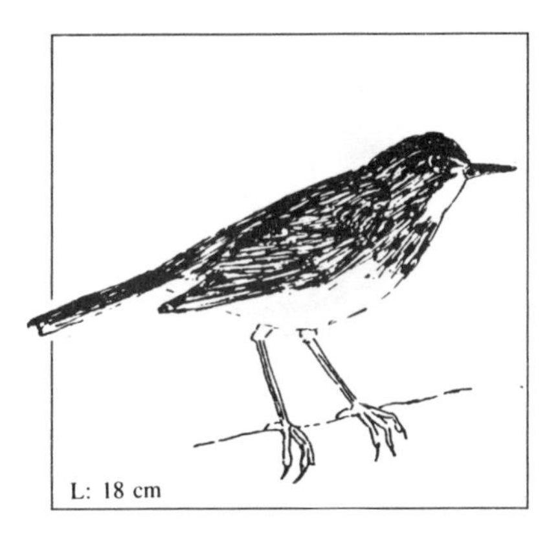
L: 18 cm

MUSCICAPIDÉS –
ROITELETS, MERLES, GRIVES, ETC.

Grive fauve

(Veery)
(Catharus fuscescens)

AIRE DE NIDIFICATION: Sud du Canada, du sud de Terre-Neuve jusqu'au centre de la Colombie-Britannique.

AIRE D'HIVERNAGE: Amérique du Sud.

HABITAT PRÉFÉRÉ: Bois humides avec sous-bois épais.

LIEU DE NIDIFICATION PRÉFÉRÉ: Sur le sol ou près du sol dans le sous-bois.

GROSSEUR DE LA COUVÉE: De 3 à 5 oeufs, habituellement 4.

PÉRIODE D'INCUBATION: De 10 à 12 jours.

PÉRIODE AU NID: 16 jours.

COUVÉES PAR SAISON: 1 ou 2.

NOURRITURE PRÉFÉRÉE: Insectes; fruits sauvages; graines.

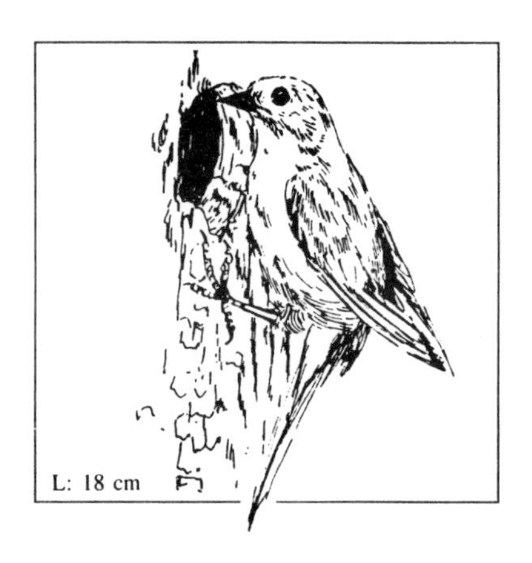

**MUSCICAPIDÉS –
ROITELETS, MERLES, GRIVES, ETC.**

Merle-bleu de l'Est

(Eastern Bluebird)
(Sialia sialis)

AIRE DE NIDIFICATION: Sud du Canada, de la Saskatchewan aux provinces maritimes.

AIRE D'HIVERNAGE: Occasionnellement dans le sud de l'Ontario; du sud de la Nouvelle-Angleterre jusqu'au Nouveau-Mexique; Mexique.

HABITAT PRÉFÉRÉ: Vergers, lisières des bois, fermes.

LIEU DE NIDIFICATION PRÉFÉRÉ: Cavités dans les arbres; nichoirs.

GROSSEUR DE LA COUVÉE: De 3 à 7 oeufs, habituellement 4 ou 5.

PÉRIODE D'INCUBATION: De 13 à 15 jours.

PÉRIODE AU NID: De 15 à 20 jours.

COUVÉES PAR SAISON: 2 ou 3.

NOURRITURE PRÉFÉRÉE: Insectes; fruits.

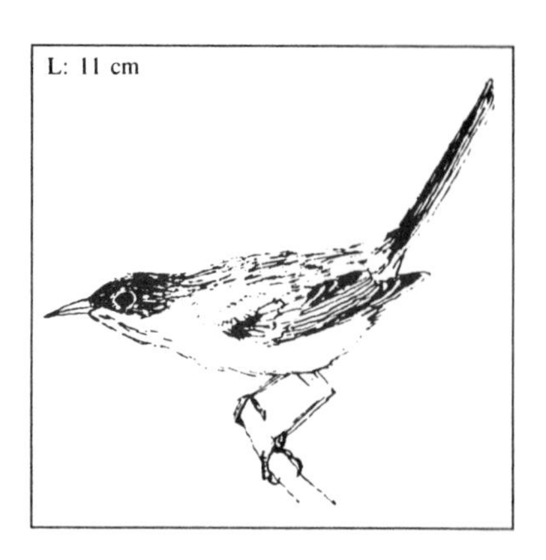

**MUSCICAPIDÉS –
ROITELETS, MERLES, GRIVES, ETC.**

Gobe-moucherons gris-bleu

(Blue-gray Gnatcatcher)
(Polioptila caerulea)

AIRE DE NIDIFICATION: Sud-ouest du Québec et sud de l'Ontario; accidentel en Colombie-Britannique.

AIRE D'HIVERNAGE: Du sud des États-Unis jusqu'en Amérique centrale.

HABITAT PRÉFÉRÉ: Forêts mixtes claires, fourrés, jardins avec grands arbres.

LIEU DE NIDIFICATION PRÉFÉRÉ: Branches horizontales dans les grands arbres.

GROSSEUR DE LA COUVÉE: De 3 à 5 oeufs, habituellement 4 ou 5.

PÉRIODE D'INCUBATION: De 13 à 15 jours.

PÉRIODE AU NID: De 10 à 13 jours.

COUVÉES PAR SAISON: 1 ou 2.

NOURRITURE PRÉFÉRÉE: Insectes.

MUSCICAPIDÉS —
ROITELETS, MERLES, GRIVES, ETC.

Roitelet à couronne dorée
(Golden-crowned Kinglet)
(Regulus satrapa)

AIRE DE NIDIFICATION: Terre-Neuve, provinces maritimes, sud et centre du Québec et de l'Ontario, Manitoba, ouest de l'Alberta et Colombie-Britannique.

AIRE D'HIVERNAGE: Se retire des parties plus au nord de l'aire de nidification et se rend jusqu'au Mexique.

HABITAT PRÉFÉRÉ: Conifères, forêts mixtes ou à feuillage caduque, fourrés.

LIEU DE NIDIFICATION PRÉFÉRÉ: Branches horizontales des conifères.

GROSSEUR DE LA COUVÉE: De 5 à 11 oeufs, habituellement 8 ou 9.

PÉRIODE D'INCUBATION: Probablement 14 ou 15 jours.

PÉRIODE AU NID: Aucune connue.

COUVÉES PAR SAISON: 2.

NOURRITURE PRÉFÉRÉE: Insectes.

MUSCICAPIDÉS —
ROITELETS, MERLES, GRIVES, ETC.

Roitelet à couronne rubis
(Ruby-crowned Kinglet)
(Regulus calendula)

AIRE DE NIDIFICATION: Partout au Canada, sauf dans l'extrême-nord du Québec et du Yukon, dans l'est et le nord des territoires, et le sud du Manitoba et de la Saskatchewan.

AIRE D'HIVERNAGE: Sud-ouest de la Colombie-Britannique; du sud de la Nouvelle-Angleterre à la Floride; du nord de la Californie jusqu'en Amérique centrale.

HABITAT PRÉFÉRÉ: Conifères, arbustes, vergers.

LIEU DE NIDIFICATION PRÉFÉRÉ: Arbres ou arbustes à feuilles persistantes.

GROSSEUR DE LA COUVÉE: De 5 à 11 oeufs, habituellement de 7 à 9.

PÉRIODE D'INCUBATION: 12 jours.

PÉRIODE AU NID: 12 jours.

COUVÉE PAR SAISON: 1.

NOURRITURE PRÉFÉRÉE: Insectes; graines; fruits.

BOMBYCILLIDÉS —
JASEURS

Jaseur des cèdres

(Cedar Waxwing)
(Bombycilla cedrorum)

AIRE DE NIDIFICATION: Terre-Neuve, provinces maritimes, centre et sud du Québec, de l'Ontario, des prairies, de la Colombie-Britannique.

AIRE D'HIVERNAGE: Du sud du Canada, sauf les prairies, jusqu'en Amérique centrale.

HABITAT PRÉFÉRÉ: Forêts clairsemées, lisières des bois, vergers.

LIEU DE NIDIFICATION PRÉFÉRÉ: Branches horizontales des arbres, niche en semi-colonies.

GROSSEUR DE LA COUVÉE: De 2 à 6 oeufs, habituellement 4 ou 5.

PÉRIODE D'INCUBATION: De 12 à 16 jours.

PÉRIODE AU NID: De 12 à 18 jours.

COUVÉES PAR SAISON: 1 ou 2.

NOURRITURE PRÉFÉRÉE: Baies; insectes.

LANIIDÉS —
PIES-GRIÈCHES

Pie-grièche migratrice

(Loggerhead Shrike)
(Lanius ludovicianus)

AIRE DE NIDIFICATION: Sud du Nouveau-Brunswick, de la Nouvelle-Écosse, du Québec et de l'Ontario; centre et sud des prairies.

AIRE D'HIVERNAGE: Sud des États-Unis et Mexique.

HABITAT PRÉFÉRÉ: Arbres épars dans les terrains vagues; déserts; fermes.

LIEU DE NIDIFICATION PRÉFÉRÉ: Buissons ou arbres.

GROSSEUR DE LA COUVÉE: De 4 à 8 oeufs, habituellement de 4 à 6.

PÉRIODE D'INCUBATION: 16 jours.

PÉRIODE AU NID: De 16 à 20 jours.

COUVÉES PAR SAISON: 1 ou 2.

NOURRITURE PRÉFÉRÉE: Insectes; petits animaux et oiseaux.

STURNIDÉS —
ÉTOURNEAUX, MAINATES

Étourneau sansonnet

(European Starling)
(Sturnus vulgaris)

AIRE DE NIDIFICATION: Partout au Canada, sauf dans le nord des provinces.

AIRE D'HIVERNAGE: Réside dans l'aire de nidification, jusqu'au Mexique.

HABITAT PRÉFÉRÉ: De la ferme à la ville.

LIEU DE NIDIFICATION PRÉFÉRÉ: Cavités dans les arbres; nichoirs.

GROSSEUR DE LA COUVÉE: De 2 à 8 oeufs, habituellement de 4 à 6.

PÉRIODE D'INCUBATION: De 11 à 13 jours.

PÉRIODE AU NID: De 16 à 22 jours.

COUVÉES PAR SAISON: 2 ou 3.

NOURRITURE PRÉFÉRÉE: Insectes; graines; fruits; céréales.

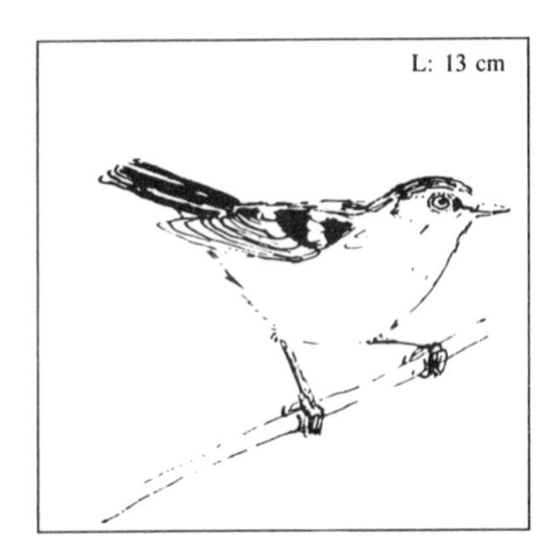

VIRÉONIDÉS —
VIRÉOS

Viréo aux yeux blancs

(White-eyed Vireo)
(Vireo griseus)

AIRE DE NIDIFICATION: Très rare dans le sud du Québec et au Manitoba; rare dans le sud de l'Ontario et en Nouvelle-Écosse.

AIRE D'HIVERNAGE: Floride et golfe du Mexique.

HABITAT PRÉFÉRÉ: Fourrés.

LIEU DE NIDIFICATION PRÉFÉRÉ: Branches basses des jeunes arbres ou des arbustes entourés de végétation.

GROSSEUR DE LA COUVÉE: De 3 à 5 oeufs, habituellement 4.

PÉRIODE D'INCUBATION: 14 ou 15 jours.

PÉRIODE AU NID: Aucune connue.

COUVÉE PAR SAISON: 1.

NOURRITURE PRÉFÉRÉE: Insectes; fruits sauvages.

VIRÉONIDÉS — VIRÉOS

Viréo à gorge jaune
(Yellow-throated Vireo)
(Vireo flavifrons)

AIRE DE NIDIFICATION: Extrême-sud du Québec, de l'Ontario et du Manitoba.

AIRE D'HIVERNAGE: Du sud-est des États-Unis jusqu'en Amérique du Sud.

HABITAT PRÉFÉRÉ: Arbres le long des routes, vergers.

LIEU DE NIDIFICATION PRÉFÉRÉ: Arbres feuillus.

GROSSEUR DE LA COUVÉE: De 3 à 5 oeufs, habituellement 3 ou 4.

PÉRIODE D'INCUBATION: 14 jours.

PÉRIODE AU NID: 14 jours.

COUVÉE PAR SAISON: 1.

NOURRITURE PRÉFÉRÉE: Insectes.

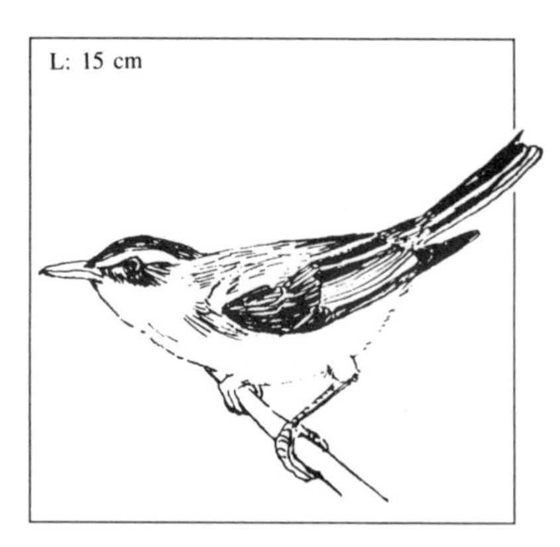

VIRÉONIDÉS — VIRÉOS

Viréo aux yeux rouges
(Red-eyed Vireo)
(Vireo olivaceus)

AIRE DE NIDIFICATION: Partout au Canada, sauf à Terre-Neuve, au Yukon dans le nord du Québec, de l'Ontario, du Manitoba et des territoires.

AIRE D'HIVERNAGE: Amérique du Sud.

HABITAT PRÉFÉRÉ: Terrains boisés ou arbres le long des routes.

LIEU DE NIDIFICATION PRÉFÉRÉ: Arbustes, arbres.

GROSSEUR DE LA COUVÉE: De 2 à 5 oeufs.

PÉRIODE D'INCUBATION: De 12 à 14 jours.

PÉRIODE AU NID: De 10 à 12 jours.

COUVÉES PAR SAISON: 1 ou 2.

NOURRITURE PRÉFÉRÉE: Insectes.

VIRÉONIDÉS –
VIRÉOS

Viréo mélodieux

(Warbling Vireo)
(Vireo gilvus)

AIRE DE NIDIFICATION: Sud des provinces maritimes, du Québec, de l'Ontario, du Manitoba; des territoires et du Yukon; Saskatchewan, Alberta et Colombie-Britannique.

AIRE D'HIVERNAGE: Amérique du Sud.

HABITAT PRÉFÉRÉ: Bois, arbres le long des routes.

LIEU DE NIDIFICATION PRÉFÉRÉ: Branches fines des arbres.

GROSSEUR DE LA COUVÉE: De 3 à 5 oeufs, habituellement 4.

PÉRIODE D'INCUBATION: 12 jours.

PÉRIODE AU NID: 16 jours.

COUVÉE PAR SAISON: 1.

NOURRITURE PRÉFÉRÉE: Insectes.

PASSÉRIDÉS –
MOINEAUX

Moineau domestique

(House Sparrow)
(Passer domesticus)

AIRE DE NIDIFICATION: À travers les régions habitées du Canada, sauf le nord-ouest du Québec, le centre et le nord du Yukon et des territoires.

AIRE D'HIVERNAGE: Résident permanent dans l'aire de nidification jusqu'en Amérique du Sud.

HABITAT PRÉFÉRÉ: Fermes, villages, villes.

LIEU DE NIDIFICATION PRÉFÉRÉ: Cavités, crevasses sur les édifices; arbres; vignes; nichoirs.

GROSSEUR DE LA COUVÉE: De 3 à 7 oeufs, habituellement 5.

PÉRIODE D'INCUBATION: 12 ou 13 jours.

PÉRIODE AU NID: De 13 à 18 jours.

COUVÉES PAR SAISON: 2; parfois 3 ou 4.

NOURRITURE PRÉFÉRÉE: Insectes; graines; déchets.

EMBÉRIZIDÉS –
PARULINES, BRUANTS, ETC.

Paruline noir et blanc

(Black-and-White Warbler)
(Mniotilta varia)

AIRE DE NIDIFICATION: Terre-Neuve, provinces maritimes, centre et sud du Québec et de l'Ontario, centre des prairies, nord-est de la Colombie-Britannique, sud-ouest des territoires.

AIRE D'HIVERNAGE: Côte du golfe du Mexique, sud de la Californie jusqu'en Amérique du Sud.

HABITAT PRÉFÉRÉ: Terrains boisés.

LIEU DE NIDIFICATION PRÉFÉRÉ: Souches, sur le sol.

GROSSEUR DE LA COUVÉE: 4 ou 5 oeufs.

PÉRIODE D'INCUBATION: 13 jours.

PÉRIODE AU NID: 11 ou 12 jours.

COUVÉE PAR SAISON: 1.

NOURRITURE PRÉFÉRÉE: Insectes.

EMBÉRIZIDÉS –
PARULINES, BRUANTS, ETC.

Paruline verdâtre

(Orange-crowned Warbler)
(Vermivora celata)

AIRE DE NIDIFICATION: Terre-Neuve et provinces maritimes; Québec, sauf le nord-ouest; Ontario, prairies et Colombie-Britannique, sauf dans le sud, et sud du Yukon et des territoires.

AIRE D'HIVERNAGE: Du sud des États-Unis jusqu'au Guatemala.

HABITAT PRÉFÉRÉ: Bois, broussailles.

LIEU DE NIDIFICATION PRÉFÉRÉ: Sur le sol ou peu élevé dans les arbustes.

GROSSEUR DE LA COUVÉE: De 4 à 6 oeufs, habituellement 4 ou 5.

PÉRIODE D'INCUBATION: De 12 à 14 jours.

PÉRIODE AU NID: De 8 à 10 jours.

COUVÉE PAR SAISON: Non déterminée.

NOURRITURE PRÉFÉRÉE: Insectes.

L: 13 cm

EMBÉRIZIDÉS –
PARULINES, BRUANTS, ETC.

Paruline jaune
(Yellow Warbler)
(Dendroica petechia)

AIRE DE NIDIFICATION: Partout au Canada, sauf dans le nord du Québec et des territoires.

AIRE D'HIVERNAGE: Sud de la Californie, sud-ouest de l'Arizona jusqu'en Amérique du Sud.

HABITAT PRÉFÉRÉ: Saules, fermes, arbustes denses, jardins.

LIEU DE NIDIFICATION PRÉFÉRÉ: Arbustes, arbres.

GROSSEUR DE LA COUVÉE: De 3 à 5 oeufs, habituellement 4 ou 5.

PÉRIODE D'INCUBATION: 10 ou 11 jours.

PÉRIODE AU NID: De 9 à 12 jours.

COUVÉE PAR SAISON: 1.

NOURRITURE PRÉFÉRÉE: Insectes.

L: 13 cm

EMBÉRIZIDÉS –
PARULINES, BRUANTS, ETC.

Paruline à tête cendrée
(Magnolia Warbler)
(Dendroica magnolia)

AIRE DE NIDIFICATION: Dans l'est: Terre-Neuve, provinces maritimes, sud du Québec, Ontario; dans l'ouest: centre et nord des prairies, est de la Colombie-Britannique et du Yukon.

AIRE D'HIVERNAGE: Du sud du Mexique à Panama.

HABITAT PRÉFÉRÉ: Forêts de conifères, lisières des bois, jardins.

LIEU DE NIDIFICATION PRÉFÉRÉ: Branches horizontales des petits conifères.

GROSSEUR DE LA COUVÉE: De 3 à 6 oeufs, habituellement 4 ou 5.

PÉRIODE D'INCUBATION: 12 jours.

PÉRIODE AU NID: 10 jours.

COUVÉES PAR SAISON: 2.

NOURRITURE PRÉFÉRÉE: Insectes.

**EMBÉRIZIDÉS –
PARULINES, BRUANTS, ETC.**

Paruline à croupion jaune
(Yellow-rumped Warbler)
(Dendroica coronata)

AIRE DE NIDIFICATION: Partout au Canada, sauf dans l'extrême-nord-ouest du Québec, le sud des prairies, et l'est des territoires.

AIRE D'HIVERNAGE: Sud de la Nouvelle-Écosse, sud-ouest de la Colombie-Britannique et sud des États-Unis.

HABITAT PRÉFÉRÉ: De la forêt au jardin.

LIEU DE NIDIFICATION PRÉFÉRÉ: Conifères.

GROSSEUR DE LA COUVÉE: De 3 à 5 oeufs, habituellement 4 ou 5.

PÉRIODE D'INCUBATION: 12 ou 13 jours.

PÉRIODE AU NID: De 12 à 14 jours.

COUVÉES PAR SAISON: 1 ou 2.

NOURRITURE PRÉFÉRÉE: Insectes; baies.

**EMBÉRIZIDÉS –
PARULINES, BRUANTS, ETC.**

Paruline à gorge jaune
(Yellow-throated Warbler)
(Dendroica dominica)

AIRE DE NIDIFICATION: Rarement dans le sud de l'Ontario et du Québec, au Nouveau-Brunswick, en Nouvelle-Écosse et à Terre-Neuve.

AIRE D'HIVERNAGE: Côte du golfe du Mexique jusqu'aux tropiques.

HABITAT PRÉFÉRÉ: Plaines alluviales.

LIEU DE NIDIFICATION PRÉFÉRÉ: Branches de pin, chêne, sycomore.

GROSSEUR DE LA COUVÉE: 4 oeufs.

PÉRIODE D'INCUBATION: Probablement 12 ou 13 jours.

PÉRIODE AU NID: Aucune connue.

COUVÉES PAR SAISON: 1; 2 dans le sud.

NOURRITURE PRÉFÉRÉE: Insectes.

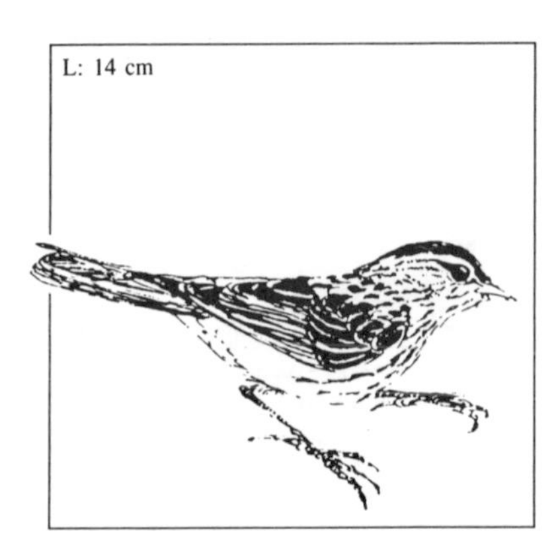

EMBÉRIZIDÉS —
PARULINES, BRUANTS, ETC.

Paruline à couronne rousse
(Palm Warbler)
(Dendroica palmarum)

AIRE DE NIDIFICATION: Dans l'est: Terre-Neuve, provinces maritimes, centre et sud du Québec, Ontario; dans l'ouest: centre des prairies, sud des territoires, nord-est de l'Alberta.

AIRE D'HIVERNAGE: De la Virginie au golfe du Mexique.

HABITAT PRÉFÉRÉ: Marais, pelouse.

LIEU DE NIDIFICATION PRÉFÉRÉ: Sur le sol au pied des arbustes ou des arbres; niche parfois en colonies éparses.

GROSSEUR DE LA COUVÉE: 4 ou 5 oeufs.

PÉRIODE D'INCUBATION: 12 jours.

PÉRIODE AU NID: 12 jours.

COUVÉES PAR SAISON: 1 ou 2.

NOURRITURE PRÉFÉRÉE: Insectes; baies.

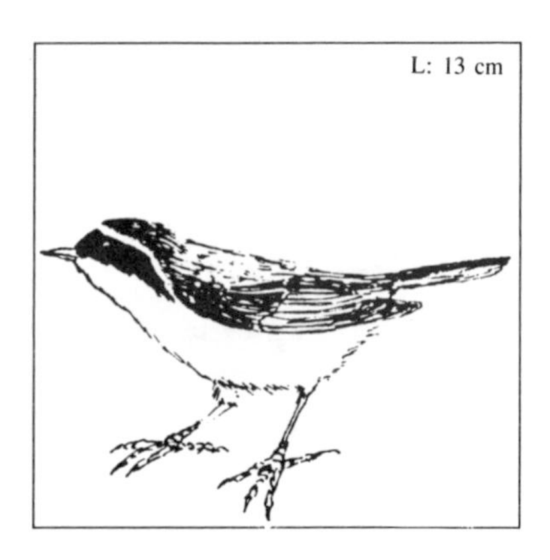

EMBÉRIZIDÉS —
PARULINES, BRUANTS, ETC.

Paruline masquée
(Common Yellowthroat)
(Geothlypis trichas)

AIRE DE NIDIFICATION: Sud du Canada; dans l'ouest, jusqu'au sud du Yukon.

AIRE D'HIVERNAGE: Du sud des États-Unis jusqu'en Amérique centrale.

HABITAT PRÉFÉRÉ: Marais, fourrés.

LIEU DE NIDIFICATION PRÉFÉRÉ: Herbes, arbustes.

GROSSEUR DE LA COUVÉE: De 3 à 6 oeufs, habituellement 4.

PÉRIODE D'INCUBATION: De 11 à 13 jours.

PÉRIODE AU NID: 9 ou 10 jours.

COUVÉES PAR SAISON: 1 ou 2.

NOURRITURE PRÉFÉRÉE: Insectes.

EMBÉRIZIDÉS –
PARULINES, BRUANTS, ETC.

Paruline polyglotte

(Yellow-breasted Chat)
(Icteria virens)

AIRE DE NIDIFICATION: Inusité au Québec; sud de l'Ontario, de la Saskatchewan, de l'Alberta et de la Colombie-Britannique.

AIRE D'HIVERNAGE: Du Mexique à Panama.

HABITAT PRÉFÉRÉ: Fourrés, ronces, pâturages broussailleux.

LIEU DE NIDIFICATION PRÉFÉRÉ: Fourrés.

GROSSEUR DE LA COUVÉE: De 3 à 5 oeufs, habituellement 4.

PÉRIODE D'INCUBATION: 8 jours.

PÉRIODE AU NID: Aucune connue.

COUVÉE PAR SAISON: 1.

NOURRITURE PRÉFÉRÉE: Insectes; baies.

EMBÉRIZIDÉS –
PARULINES, BRUANTS, ETC.

Paruline flamboyante

(American Redstart)
(Setophaga ruticilla)

AIRE DE NIDIFICATION: Sud du Canada; dans l'ouest, jusqu'au sud du Yukon.

AIRE D'HIVERNAGE: Du Mexique à l'Équateur; sud de la Floride.

HABITAT PRÉFÉRÉ: Forêts à feuillage caduque, marais, arbustes, arbres le long des routes.

LIEU DE NIDIFICATION PRÉFÉRÉ: Arbustes ou arbres.

GROSSEUR DE LA COUVÉE: De 3 à 5 oeufs, habituellement 4.

PÉRIODE D'INCUBATION: De 12 à 14 jours.

PÉRIODE AU NID: 8 ou 9 jours.

COUVÉE PAR SAISON: 1.

NOURRITURE PRÉFÉRÉE: Insectes.

EMBÉRIZIDÉS —
PARULINES, BRUANTS, ETC.

Goglu

(Bobolink)
(Dolichonyx oryzivorus)

AIRE DE NIDIFICATION: Provinces maritimes; sud du Québec, de l'Ontario et des prairies; centre-sud de la Colombie-Britannique.

AIRE D'HIVERNAGE: Amérique du Sud.

HABITAT PRÉFÉRÉ: Prairies.

LIEU DE NIDIFICATION PRÉFÉRÉ: Sur le sol dans la végétation dense.

GROSSEUR DE LA COUVÉE: De 4 à 7 oeufs, habituellement 5 ou 6.

PÉRIODE D'INCUBATION: 13 jours.

PÉRIODE AU NID: De 10 à 14 jours.

COUVÉE PAR SAISON: 1.

NOURRITURE PRÉFÉRÉE: Insectes; graines.

EMBÉRIZIDÉS —
PARULINES, BRUANTS, ETC.

Sturnelle des prés

(Eastern Meadowlark)
(Sturnella magna)

AIRE DE NIDIFICATION: Extrême-sud de la Nouvelle-Écosse, du Nouveau-Brunswick et du Québec, sud de l'Ontario.

AIRE D'HIVERNAGE: Extrême-sud de l'Ontario, parfois en Nouvelle-Écosse et au Nouveau-Brunswick; sud et est des États-Unis; Mexique.

HABITAT PRÉFÉRÉ: Prés.

LIEU DE NIDIFICATION PRÉFÉRÉ: Sur le sol, dans la végétation.

GROSSEUR DE LA COUVÉE: De 2 à 6 oeufs, habituellement de 3 à 5.

PÉRIODE D'INCUBATION: De 13 à 15 jours.

PÉRIODE AU NID: De 10 à 12 jours.

COUVÉES PAR SAISON: 2.

NOURRITURE PRÉFÉRÉE: Insectes; graines; céréales.

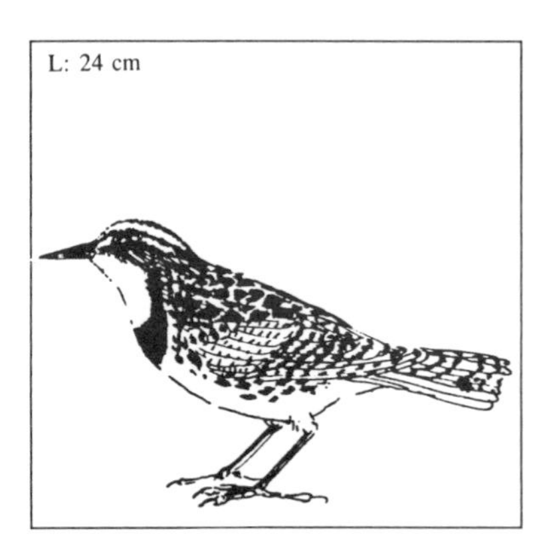

EMBÉRIZIDÉS –
PARULINES, BRUANTS, ETC.

Sturnelle de l'Ouest

(Wertern Meadowlark)
(Sturnella neglecta)

AIRE DE NIDIFICATION: Sud du Canada, de la Colombie-Britannique à l'est de l'Ontario; rarement dans le sud-ouest du Québec.

AIRE D'HIVERNAGE: Occasionnellement dans le sud des prairies; sud-ouest de la Colombie-Britannique; ouest et sud des États-Unis; Mexique.

HABITAT PRÉFÉRÉ: Prés, champs, plaines.

LIEU DE NIDIFICATION PRÉFÉRÉ: Sur le sol dans le gazon.

GROSSEUR DE LA COUVÉE: De 3 à 7 oeufs.

PÉRIODE D'INCUBATION: De 13 à 15 jours.

PÉRIODE AU NID: Environ 12 jours.

COUVÉES PAR SAISON: 2.

NOURRITURE PRÉFÉRÉE: Insectes; céréales.

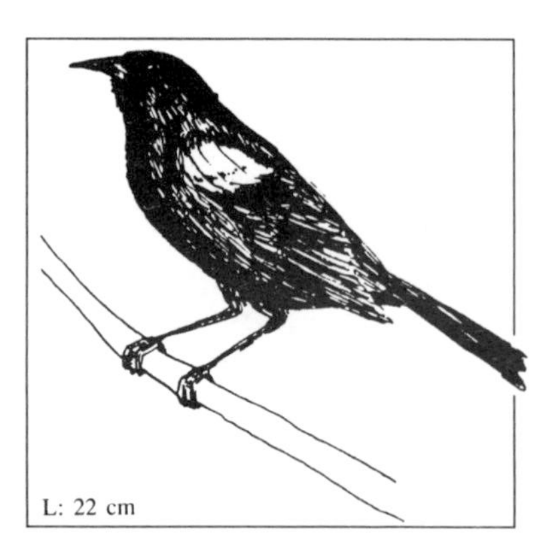

EMBÉRIZIDÉS –
PARULINES, BRUANTS, ETC.

Carouge à épaulettes

(Red-winged Blackbird)
(Agelaius phoeniceus)

AIRE DE NIDIFICATION: Partout au Canada, sauf dans le nord du Québec, de l'Ontario, du Manitoba, des territoires et du Yukon.

AIRE D'HIVERNAGE: Rarement dans le sud du Québec et des provinces maritimes; sud de l'Ontario et de la Colombie-Britannique, jusqu'en Amérique du Sud.

HABITAT PRÉFÉRÉ: Champs, marais, lisières des bois.

LIEU DE NIDIFICATION PRÉFÉRÉ: Attaché aux roseaux dans les marais; niche en colonies éparses.

GROSSEUR DE LA COUVÉE: De 3 à 5 oeufs, habituellement 3 ou 4.

PÉRIODE D'INCUBATION: De 10 à 12 jours.

PÉRIODE AU NID: 10 ou 11 jours.

COUVÉES PAR SAISON: 2 ou 3.

NOURRITURE PRÉFÉRÉE: Insectes; graines; céréales.

EMBÉRIZIDÉS –
PARULINES, BRUANTS, ETC.

Oriole des vergers

(Orchard Oriole)
(Icterus spurius)

AIRE DE NIDIFICATION: Inusité dans le sud du Nouveau-Brunswick et de la Nouvelle-Écosse; sud de l'Ontario; localement dans le sud du Manitoba et de la Saskatchewan.

AIRE D'HIVERNAGE: Du Mexique au nord de l'Amérique du Sud.

HABITAT PRÉFÉRÉ: Vergers, fermes, villes.

LIEU DE NIDIFICATION PRÉFÉRÉ: Branches, dans un feuillage dense.

GROSSEUR DE LA COUVÉE: De 3 à 7 oeufs, habituellement 4 ou 5.

PÉRIODE D'INCUBATION: De 12 à 14 jours.

PÉRIODE AU NID: De 11 à 14 jours.

COUVÉE PAR SAISON: 1.

NOURRITURE PRÉFÉRÉE: Insectes; fruits.

EMBÉRIZIDÉS –
PARULINES, BRUANTS, ETC.

Oriole du Nord

(Northern [Baltimore] Oriole)
(Icterus galbula)

AIRE DE NIDIFICATION: Sud du Canada, de la Nouvelle-Écosse à la Colombie-Britannique.

AIRE D'HIVERNAGE: Du Mexique à l'Amérique du Sud.

HABITAT PRÉFÉRÉ: Arbres le long des routes et lisières des bois.

LIEU DE NIDIFICATION PRÉFÉRÉ: Branches élevées dans les arbres à feuillage caduque.

GROSSEUR DE LA COUVÉE: De 3 à 6 oeufs, habituellement 4 ou 5.

PÉRIODE D'INCUBATION: De 12 à 14 jours.

PÉRIODE AU NID: De 11 à 14 jours.

COUVÉE PAR SAISON: 1.

NOURRITURE PRÉFÉRÉE: Insectes; fruits.

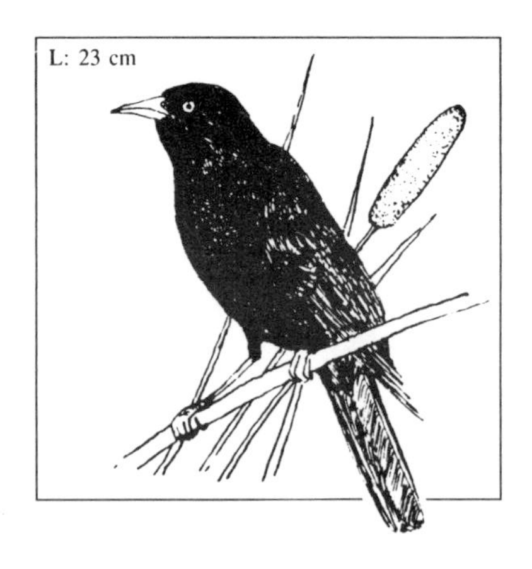

EMBÉRIZIDÉS —
PARULINES, BRUANTS, ETC.

Quiscale de Brewer
(Brewer's Blackbird)
(Euphagus cyanocephalus)

AIRE DE NIDIFICATION: Du centre de la Colombie-Britannique au sud de l'Ontario; s'étend vers l'est.

AIRE D'HIVERNAGE: Sud de la Colombie-Britannique; rarement dans le sud de l'Alberta et de l'Ontario; ouest et sud des États-Unis jusqu'au Mexique.

HABITAT PRÉFÉRÉ: Champs, fermes.

LIEU DE NIDIFICATION PRÉFÉRÉ: Sur le sol, dans les arbustes ou les arbres; niche en colonies éparses.

GROSSEUR DE LA COUVÉE: De 4 à 8 oeufs, habituellement de 4 à 6.

PÉRIODE D'INCUBATION: De 12 à 14 jours.

PÉRIODE AU NID: 13 jours.

COUVÉE PAR SAISON: 1.

NOURRITURE PRÉFÉRÉE: Insectes; graines.

EMBÉRIZIDÉS —
PARULINES, BRUANTS, ETC.

Quiscale bronzé
(Common Grackle)
(Quiscalus quiscula)

AIRE DE NIDIFICATION: Provinces maritimes, sud de Terre-Neuve, centre et sud du Québec et de l'Ontario, prairies, sud-ouest des territoires.

AIRE D'HIVERNAGE: Sud de l'Ontario et rarement dans le sud du Québec et des provinces maritimes; sud et est des États-Unis.

HABITAT PRÉFÉRÉ: Terres cultivées, pelouses.

LIEU DE NIDIFICATION PRÉFÉRÉ: Arbres, arbustes; niche souvent en colonies.

GROSSEUR DE LA COUVÉE: De 4 à 6 oeufs, habituellement 5.

PÉRIODE D'INCUBATION: De 11 à 13 jours.

PÉRIODE AU NID: De 14 à 20 jours.

COUVÉE PAR SAISON: 1.

NOURRITURE PRÉFÉRÉE: Insectes; fruits; céréales.

**EMBÉRIZIDÉS –
PARULINES, BRUANTS, ETC.**

Vacher à tête brune

(Brown-headed Cowbird)
(Molothrus ater)

AIRE DE NIDIFICATION: Partout au Canada, sauf dans le Yukon et dans le nord du Québec, de l'Ontario, du Manitoba et des territoires.

AIRE D'HIVERNAGE: Sud de l'Ontario, de la Nouvelle-Écosse et du Nouveau-Brunswick; est et sud des États-Unis; Mexique.

HABITAT PRÉFÉRÉ: Champs, lisières des bois, fermes.

LIEU DE NIDIFICATION PRÉFÉRÉ: Parasite.

GROSSEUR DE LA COUVÉE: De 1 à 6 oeufs, habituellement 3.

PÉRIODE D'INCUBATION: 10 jours.

PÉRIODE AU NID: 10 jours.

COUVÉES PAR SAISON: 3 ou 4.

NOURRITURE PRÉFÉRÉE: Insectes; graines; baies; céréales.

**EMBÉRIZIDÉS –
PARULINES, BRUANTS, ETC.**

Tangara écarlate

(Scarlet Tanager)
(Piranga olivacea)

AIRE DE NIDIFICATION: Nouveau-Brunswick, sud-ouest du Québec, sud de l'Ontario et sud-est du Manitoba.

AIRE D'HIVERNAGE: Amérique du Sud.

HABITAT PRÉFÉRÉ: Forêts mixtes et à feuillage caduque.

LIEU DE NIDIFICATION PRÉFÉRÉ: Sur une branche de chêne loin du tronc; de 2,5 à 23 mètres du sol.

GROSSEUR DE LA COUVÉE: De 3 à 5 oeufs, habituellement 4.

PÉRIODE D'INCUBATION: 13 ou 14 jours.

PÉRIODE AU NID: De 14 à 16 jours.

COUVÉE PAR SAISON: 1.

NOURRITURE PRÉFÉRÉE: Insectes; fruits.

EMBÉRIZIDÉS –
PARULINES, BRUANTS, ETC.

Tangara vermillon

(Summer Tanager)
(Piranga rubra)

AIRE DE NIDIFICATION: Rare dans le sud-ouest du Québec; inusité dans le sud du Nouveau-Brunswick, de la Nouvelle-Écosse et de l'Ontario.

AIRE D'HIVERNAGE: Californie, Mexique, Amérique centrale et Amérique du Sud.

HABITAT PRÉFÉRÉ: Plaines et contreforts.

LIEU DE NIDIFICATION PRÉFÉRÉ: Forêts et bosquets.

GROSSEUR DE LA COUVÉE: 3 ou 4 oeufs.

PÉRIODE D'INCUBATION: 11 ou 12 jours.

PÉRIODE AU NID: De 7 à 10 jours.

COUVÉE PAR SAISON: 1.

NOURRITURE PRÉFÉRÉE: Insectes.

EMBÉRIZIDÉS –
PARULINES, BRUANTS, ETC.

Cardinal rouge

(Northern Cardinal)
(Cardinalis cardinalis)

AIRE DE NIDIFICATION: Rarement en Nouvelle-Écosse; sud-ouest du Québec, sud de l'Ontario.

AIRE D'HIVERNAGE: Réside en permanence dans l'aire de nidification; au sud, jusqu'en Amérique centrale.

HABITAT PRÉFÉRÉ: Bois, parcs, jardins, banlieues.

LIEU DE NIDIFICATION PRÉFÉRÉ: Arbustes, petits arbres.

GROSSEUR DE LA COUVÉE: De 2 à 5 oeufs, habituellement 3 ou 4.

PÉRIODE D'INCUBATION: 12 ou 13 jours.

PÉRIODE AU NID: De 9 à 14 jours.

COUVÉES PAR SAISON: De 1 à 3.

NOURRITURE PRÉFÉRÉE: Graines; fruits, céréales; insectes.

EMBÉRIZIDÉS –
PARULINES, BRUANTS, ETC.

Cardinal à poitrine rose

(Rose-breasted Grosbeak)
(Pheucticus ludovicianus)

AIRE DE NIDIFICATION: Provinces maritimes; sud du Québec et de l'Ontario; Manitoba; centre et nord de la Saskatchewan et de l'Alberta.

AIRE D'HIVERNAGE: Du Mexique jusqu'en Amérique du Sud.

HABITAT PRÉFÉRÉ: Lisières des bois humides de seconde pousse; banlieues.

LIEU DE NIDIFICATION PRÉFÉRÉ: Fourches dans les arbres à feuillage caduque, de 1,5 à 7,5 mètres du sol.

GROSSEUR DE LA COUVÉE: De 3 à 6 oeufs, habituellement 4.

PÉRIODE D'INCUBATION: De 12 à 14 jours.

PÉRIODE AU NID: de 9 à 12 jours.

COUVÉES PAR SAISON: 1; parfois 2.

NOURRITURE PRÉFÉRÉE: Insectes; graines; fruits.

EMBÉRIZIDÉS –
PARULINES, BRUANTS, ETC.

Passerin bleu

(Blue Grosbeak)
(Guiraca caerulea)

AIRE DE NIDIFICATION: Inusité dans le sud de l'Ontario; observé au Québec, en Saskatchewan, en Nouvelle-Écosse et au Nouveau-Brunswick.

AIRE D'HIVERNAGE: Arizona; du Mexique jusqu'à Panama.

HABITAT PRÉFÉRÉ: Broussailles, fourrés, fermes.

LIEU DE NIDIFICATION PRÉFÉRÉ: Arbustes ou petits arbres.

GROSSEUR DE LA COUVÉE: De 3 à 5 oeufs.

PÉRIODE D'INCUBATION: 11 jours.

PÉRIODE AU NID: 13 jours.

COUVÉES PAR SAISON: 2, du moins dans le sud.

NOURRITURE PRÉFÉRÉE: Insectes; céréales.

L: 14 cm

EMBÉRIZIDÉS –
PARULINES, BRUANTS, ETC.

Passerin indigo
(Indigo Bunting)
(Passerina cyanea)

AIRE DE NIDIFICATION: Sud-ouest du Québec, sud de l'Ontario et du Manitoba.

AIRE D'HIVERNAGE: Mexique jusqu'à Panama, Cuba, Jamaïque; sud de la Floride.

HABITAT PRÉFÉRÉ: Bords des routes, broussailles, lisières des bois.

LIEU DE NIDIFICATION PRÉFÉRÉ: Sous-bois, fourrés.

GROSSEUR DE LA COUVÉE: De 2 à 6 oeufs, habituellement 3 ou 4.

PÉRIODE D'INCUBATION: 12 ou 13 jours.

PÉRIODE AU NID: De 10 à 13 jours.

COUVÉES PAR SAISON: Souvent 2.

NOURRITURE PRÉFÉRÉE: Insectes; graines.

L: 14 cm

EMBÉRIZIDÉS –
PARULINES, BRUANTS, ETC.

Passerin nonpareil
(Painted Bunting)
(Passerina ciris)

AIRE DE NIDIFICATION: Accidentel au sud de l'Ontario, en Nouvelle-Écosse et au Nouveau-Brunswick.

AIRE D'HIVERNAGE: Sud de la Floride, Mexique, Panama, Cuba.

HABITAT PRÉFÉRÉ: Fourrés, haies, jardins.

LIEU DE NIDIFICATION PRÉFÉRÉ: Fourches d'arbustes.

GROSSEUR DE LA COUVÉE: 3 ou 4 oeufs.

PÉRIODE D'INCUBATION: De 10 à 12 jours.

PÉRIODE AU NID: De 12 à 14 jours.

COUVÉES PAR SAISON: De 2 à 4.

NOURRITURE PRÉFÉRÉE: Graines; insectes.

L: 16 cm

**EMBÉRIZIDÉS —
PARULINES, BRUANTS, ETC.**

Dickcissel

(Dickcissel)
(Spiza americana)

AIRE DE NIDIFICATION: Rarement dans le sud de l'Ontario, du Manitoba et de la Saskatchewan.

AIRE D'HIVERNAGE: Amérique du Sud.

HABITAT PRÉFÉRÉ: Terrains vagues, champs, prairies.

LIEU DE NIDIFICATION PRÉFÉRÉ: Sur le sol ou près du sol, dissimulé dans les plantes.

GROSSEUR DE LA COUVÉE: De 3 à 5 oeufs, habituellement 4.

PÉRIODE D'INCUBATION: De 10 à 13 jours.

PÉRIODE AU NID: De 10 à 12 jours.

COUVÉES PAR SAISON: 2.

NOURRITURE PRÉFÉRÉE: Graines; céréales; insectes.

L: 18 cm

**EMBÉRIZIDÉS —
PARULINES, BRUANTS, ETC.**

Tohi à queue verte

(Green-tailed Towhee)
(Pipilo chlorurus)

AIRE DE NIDIFICATION: Inusité en Nouvelle-Écosse, au sud du Québec, en Ontario et en Saskatchewan.

AIRE D'HIVERNAGE: Sud de la Californie, Arizona, Mexique.

HABITAT PRÉFÉRÉ: Coteaux broussailleux.

LIEU DE NIDIFICATION PRÉFÉRÉ: Sous-bois.

GROSSEUR DE LA COUVÉE: 3 ou 4 oeufs.

PÉRIODE D'INCUBATION: 12 ou 13 jours.

PÉRIODE AU NID: De 10 à 12 jours.

COUVÉES PAR SAISON: De 1 à 3.

NOURRITURE PRÉFÉRÉE: Graines; fruits sauvages; insectes.

L: 22 cm

EMBÉRIZIDÉS —
PARULINES, BRUANTS, ETC.

Tohi à flancs roux

(Rufous-sided Towhee)
(Pipilo erythrophthalmus)

AIRE DE NIDIFICATION: Sud-ouest du Québec, sud de l'Ontario, des prairies et de la Colombie-Britannique.

AIRE D'HIVERNAGE: Sud de la Colombie-Britannique, sud et ouest des États-Unis.

HABITAT PRÉFÉRÉ: Clairières ou lisières des forêts, broussailles, pâturages, arbustes.

LIEU DE NIDIFICATION PRÉFÉRÉ: Sur le sol dans les broussailles, peu élevé dans un arbuste.

GROSSEUR DE LA COUVÉE: De 3 à 6 oeufs, habituellement 3 ou 4.

PÉRIODE D'INCUBATION: 12 ou 13 jours.

PÉRIODE AU NID: De 10 à 12 jours.

COUVÉES PAR SAISON: De 1 à 3, habituellement 2.

NOURRITURE PRÉFÉRÉE: Insectes; graines; fruits; faînes.

L: 19 cm

EMBÉRIZIDÉS —
PARULINES, BRUANTS, ETC.

Bruant à face noire

(Harry's Sparrow)
(Zonotrichia querula)

AIRE DE NIDIFICATION: Nord de la Saskatchewan, du Manitoba, de l'Ontario; rare dans le sud de l'Ontario et le sud-ouest du Québec.

AIRE D'HIVERNAGE: Sud de la Colombie-Britannique, centre des États-Unis.

HABITAT PRÉFÉRÉ: Bois d'arbres nains, fourrés.

LIEU DE NIDIFICATION PRÉFÉRÉ: Sur le sol.

GROSSEUR DE LA COUVÉE: De 3 à 5 oeufs.

PÉRIODE D'INCUBATION: De 12 à 14 jours.

PÉRIODE AU NID: De 13 à 15 jours.

COUVÉE PAR SAISON: 1.

NOURRITURE PRÉFÉRÉE: Graines.

EMBÉRIZIDÉS –
PARULINES, BRUANTS, ETC.

Junco ardoisé

(Dark-eyed Junco)
(Junco hyemalis)

AIRE DE NIDIFICATION: Partout au Canada, sauf dans le nord du Québec, des territoires et du Yukon et dans le sud des prairies.

AIRE D'HIVERNAGE: Se retire des parties plus au nord de l'aire de nidification, jusqu'à la région nord du Mexique.

HABITAT PRÉFÉRÉ: Forêts de conifères et mixtes.

LIEU DE NIDIFICATION PRÉFÉRÉ: Sur le sol.

GROSSEUR DE LA COUVÉE: De 3 à 6 oeufs, habituellement 4 ou 5.

PÉRIODE D'INCUBATION: 12 ou 13 jours.

PÉRIODE AU NID: De 9 à 12 jours.

COUVÉES PAR SAISON: 1 ou 2.

NOURRITURE PRÉFÉRÉE: Insectes; fruits sauvages; graines.

EMBÉRIZIDÉS –
PARULINES, BRUANTS, ETC.

Bruant hudsonien

(American Tree Sparrow)
(Spizella arborea)

AIRE DE NIDIFICATION: Le long de la lisière de la toundra du Labrador au Yukon.

AIRE D'HIVERNAGE: Du sud du Canada aux États du Sud.

HABITAT PRÉFÉRÉ: Campagne.

LIEU DE NIDIFICATION PRÉFÉRÉ: Fourrés.

GROSSEUR DE LA COUVÉE: 4 ou 5 oeufs.

PÉRIODE D'INCUBATION: De 11 à 14 jours.

PÉRIODE AU NID: De 12 à 14 jours.

COUVÉE PAR SAISON: 1.

NOURRITURE PRÉFÉRÉE: Graines.

EMBÉRIZIDÉS —
PARULINES, BRUANTS, ETC.

Bruant familier

(Chipping Sparrow)
(Spizella passerina)

AIRE DE NIDIFICATION: Partout au Canada, sauf dans le nord de Terre-Neuve, du Québec, de l'Ontario, du Manitoba, des territoires et du Yukon.

AIRE D'HIVERNAGE: Sud des États-Unis; Mexique.

HABITAT PRÉFÉRÉ: Bois de pins, lisières des bois, fermes, jardins.

LIEU DE NIDIFICATION PRÉFÉRÉ: Vignes, arbustes, arbres.

GROSSEUR DE LA COUVÉE: De 2 à 5 oeufs, habituellement 3 ou 4.

PÉRIODE D'INCUBATION: De 11 à 14 jours.

PÉRIODE AU NID: De 7 à 10 jours.

COUVÉES PAR SAISON: De 1 à 3, habituellement 2.

NOURRITURE PRÉFÉRÉE: Insectes; graines.

EMBÉRIZIDÉS —
PARULINES, BRUANTS, ETC.

Bruant des champs

(Field Sparrow)
(Spizella pusilla)

AIRE DE NIDIFICATION: Sud du Nouveau-Brunswick, sud-ouest du Québec, sud de l'Ontario et du Manitoba.

AIRE D'HIVERNAGE: Du sud de la Nouvelle-Angleterre au Colorado et au golfe du Mexique.

HABITAT PRÉFÉRÉ: Repousses, broussailles, pâturages.

LIEU DE NIDIFICATION PRÉFÉRÉ: Sur le sol ou dans un arbuste.

GROSSEUR DE LA COUVÉE: De 2 à 5 oeufs, habituellement 3 ou 4.

PÉRIODE D'INCUBATION: De 11 à 13 jours.

PÉRIODE AU NID: De 7 à 10 jours.

COUVÉES PAR SAISON: De 1 à 3.

NOURRITURE PRÉFÉRÉE: Insectes; graines.

EMBÉRIZIDÉS –
PARULINES, BRUANTS, ETC.

Bruant à couronne blanche

(White-crowned Sparrow)
(Zonotrichia leucophrys)

AIRE DE NIDIFICATION: Se reproduit à la limite des arbres au Canada, le long de la côte ouest jusqu'au sud de la Californie.

AIRE D'HIVERNAGE: Du sud-ouest de la Colombie-Britannique jusqu'au centre du Mexique; vallée de l'Ohio, du sud du New Jersey à la Louisiane.

HABITAT PRÉFÉRÉ: Broussailles, fourrés; en hiver, broussailles, bords des routes, jardins.

LIEU DE NIDIFICATION PRÉFÉRÉ: Sur le sol ou près du sol dans un buisson.

GROSSEUR DE LA COUVÉE: De 3 à 5 oeufs; 6 dans l'Arctique.

PÉRIODE D'INCUBATION: De 12 à 14 jours; 15 ou 16 jours en Alaska.

PÉRIODE AU NID: 15 ou 16 jours.

COUVÉE PAR SAISON: 1.

NOURRITURE PRÉFÉRÉE: Insectes; graines.

EMBÉRIZIDÉS –
PARULINES, BRUANTS, ETC.

Bruant à gorge blanche

(White-throated Sparrow)
(Zonotrichia albicollis)

AIRE DE NIDIFICATION: Partout au Canada, sauf dans le nord du Québec, des territoires et du Yukon, le sud de la Saskatchewan, le sud et l'ouest de la Colombie-Britannique.

AIRE D'HIVERNAGE: Rare dans les provinces maritimes, le sud du Québec, de l'Ontario et de la Colombie-Britannique; sud et est des États-Unis.

HABITAT PRÉFÉRÉ: Sous-bois, broussailles.

LIEU DE NIDIFICATION PRÉFÉRÉ: Sur le sol.

GROSSEUR DE LA COUVÉE: De 3 à 5 oeufs, habituellement 4.

PÉRIODE D'INCUBATION: De 11 à 14 jours.

PÉRIODE AU NID: De 12 à 14 jours.

COUVÉES PAR SAISON: Souvent 2.

NOURRITURE PRÉFÉRÉE: Insectes; graines; fruits sauvages.

L: 18 cm

EMBÉRIZIDÉS — PARULINES, BRUANTS, ETC.

Bruant fauve

(Fox Sparrow)
(Passerella iliaca)

AIRE DE NIDIFICATION: Nord du Canada; en Colombie-Britannique jusqu'au sud.

AIRE D'HIVERNAGE: Rarement à Terre-Neuve, au Nouveau-Brunswick, en Nouvelle-Écosse, dans le sud-ouest du Québec, le sud de l'Ontario et de la Colombie-Britannique; ouest et sud des États-Unis.

HABITAT PRÉFÉRÉ: Forêts et sous-bois nordiques; en hiver, sous-bois, parcs, jardins.

LIEU DE NIDIFICATION PRÉFÉRÉ: Dans les arbustes ou sur le sol.

GROSSEUR DE LA COUVÉE: De 3 à 5 oeufs.

PÉRIODE D'INCUBATION: De 12 à 14 jours.

PÉRIODE AU NID: De 11 à 13 jours.

COUVÉES PAR SAISON: 2.

NOURRITURE PRÉFÉRÉE: Insectes; graines; fruits.

L: 16 cm

EMBÉRIZIDÉS — PARULINES, BRUANTS, ETC.

Bruant chanteur

(Song Sparrow)
(Melospiza melodia)

AIRE DE NIDIFICATION: Partout au Canada, sauf dans le nord.

AIRE D'HIVERNAGE: Provinces maritimes, sud-ouest du Québec, sud de l'Ontario et de la Colombie-Britannique; États-Unis; Mexique.

HABITAT PRÉFÉRÉ: Fourrés, arbustes.

LIEU DE NIDIFICATION PRÉFÉRÉ: Sur le sol ou dans les arbustes.

GROSSEUR DE LA COUVÉE: De 3 à 6 oeufs.

PÉRIODE D'INCUBATION: 12 ou 13 jours.

PÉRIODE AU NID: De 10 à 14 jours.

COUVÉES PAR SAISON: 2; parfois 3.

NOURRITURE PRÉFÉRÉE: Insectes; graines; fruits.

FRINGILLIDÉS —
CHARDONNERETS, GROS-BECS, ETC.

Gros-bec errant

(Evening Grosbeak)
(Coccothraustes vespertinus)

AIRE DE NIDIFICATION: Provinces maritimes; sud du Québec et de l'Ontario; centre des prairies; Colombie-Britannique, sauf extrême-nord.

AIRE D'HIVERNAGE: Réside dans l'aire de nidification et plus au sud.

HABITAT PRÉFÉRÉ: Forêts de conifères.

LIEU DE NIDIFICATION PRÉFÉRÉ: Conifères.

GROSSEUR DE LA COUVÉE: De 2 à 5 oeufs, habituellement 3 ou 4.

PÉRIODE D'INCUBATION: De 12 à 14 jours.

PÉRIODE AU NID: De 14 à 16 jours.

COUVÉES PAR SAISON: 1; possiblement 2.

NOURRITURE PRÉFÉRÉE: Bourgeons; fruits; graines; insectes.

FRINGILLIDÉS —
CHARDONNERETS, GROS-BECS, ETC.

Roselin pourpré

(Purple Finch)
(Carpodacus purpureus)

AIRE DE NIDIFICATION: Terre-Neuve, provinces maritimes, centre et sud du Québec, de l'Ontario et du Manitoba, centre de la Saskatchewan, Alberta et Colombie-Britannique, sud du Yukon et sud-ouest des territoires.

AIRE D'HIVERNAGE: Sud de l'est du Canada jusqu'au Mexique; côte ouest.

HABITAT PRÉFÉRÉ: Lisières des bois, forêts de conifères, arbres le long des routes.

LIEU DE NIDIFICATION PRÉFÉRÉ: Conifères.

GROSSEUR DE LA COUVÉE: De 3 à 6 oeufs, habituellement 4 ou 5.

PÉRIODE D'INCUBATION: 13 jours.

PÉRIODE AU NID: De 12 à 14 jours.

COUVÉES PAR SAISON: 1; parfois 2.

NOURRITURE PRÉFÉRÉE: Graines; bourgeons; fruits; insectes.

L: 15 cm

FRINGILLIDÉS –
CHARDONNERETS, GROS-BECS, ETC.

Roselin familier

(House Finch)
(Carpodacus mexicanus)

AIRE DE NIDIFICATION: Sud-ouest du Québec, sud de l'Ontario et centre-sud de la Colombie-Britannique.

AIRE D'HIVERNAGE: Réside en permanence dans l'aire de nidification; jusqu'au Mexique.

HABITAT PRÉFÉRÉ: Bois clairs, régions inhabitées.

LIEU DE NIDIFICATION PRÉFÉRÉ: Presque n'importe où.

GROSSEUR DE LA COUVÉE: De 2 à 6 oeufs, habituellement 4 ou 5.

PÉRIODE D'INCUBATION: De 12 à 16 jours.

PÉRIODE AU NID: De 12 à 14 jours habituellement; varie de 11 à 19 jours.

COUVÉES PAR SAISON: De 1 à 3.

NOURRITURE PRÉFÉRÉE: Graines; fruits; insectes.

L: 13 cm

FRINGILLIDÉS –
CHARDONNERETS, GROS-BEC, ETC.

Sizerin flammé

(Common Redpoll)
(Carduelis flammea)

AIRE DE NIDIFICATION: Nord du Canada.

AIRE D'HIVERNAGE: Limite sud de l'aire de nidification.

HABITAT PRÉFÉRÉ: Toundra, clairières dans les bois, marais, champs.

LIEU DE NIDIFICATION PRÉFÉRÉ: Arbustes ou arbres peu élevés.

GROSSEUR DE LA COUVÉE: 5 ou 6 oeufs.

PÉRIODE D'INCUBATION: 14 ou 15 jours.

PÉRIODE AU NID: De 12 à 14 jours.

COUVÉES PAR SAISON: 1 ou 2.

NOURRITURE PRÉFÉRÉE: Graines.

FRINGILLIDÉS — CHARDONNERETS, GROS-BEC, ETC.

Chardonneret des pins

(Pine Siskin)
(Carduelis pinus)

AIRE DE NIDIFICATION: Partout au Canada, sauf dans le nord du Québec, de l'Ontario, des prairies et du Yukon.

AIRE D'HIVERNAGE: Côte ouest; région sud du Canada; États-Unis.

HABITAT PRÉFÉRÉ: Conifères, fourrés.

LIEU DE NIDIFICATION PRÉFÉRÉ: Conifères.

GROSSEUR DE LA COUVÉE: De 2 à 6 oeufs, habituellement 3 ou 4.

PÉRIODE D'INCUBATION: De 12 à 14 jours.

PÉRIODE AU NID: De 12 à 15 jours.

COUVÉE PAR SAISON: 1.

NOURRITURE PRÉFÉRÉE: Insectes; bourgeons; graines.

FRINGILLIDÉS — CHARDONNERETS, GROS-BEC, ETC.

Chardonneret jaune

(American Goldfinch)
(Carduelis tristis)

AIRE DE NIDIFICATION: Sud du Canada, de Terre-Neuve à la Colombie-Britannique.

AIRE D'HIVERNAGE: Nouveau-Brunswick, Nouvelle-Écosse, sud-ouest du Québec, sud de l'Ontario et Colombie-Britannique; États-Unis, sauf centre-nord, jusqu'au Mexique.

HABITAT PRÉFÉRÉ: Champs, pâturages, marais.

LIEU DE NIDIFICATION PRÉFÉRÉ: Arbustes ou arbres feuillus.

GROSSEUR DE LA COUVÉE: De 4 à 6 oeufs, habituellement 5.

PÉRIODE D'INCUBATION: De 12 à 14 jours.

PÉRIODE AU NID: De 11 à 15 jours.

COUVÉES PAR SAISON: 1 ou 2.

NOURRITURE PRÉFÉRÉE: Insectes; bourgeons; graines.

L: 16 cm

FRINGILLIDÉS — CHARDONNERETS, GROS-BEC, ETC.

Bec-croisé rouge

(Red Crossbill)
(Loxia curvirostra)

AIRE DE NIDIFICATION: Terre-Neuve, provinces maritimes, sud du Québec, de l'Ontario, centre du Manitoba, de la Saskatchewan, Alberta et Colombie-Britannique, sud du Yukon et sud-ouest des territoires.

AIRE D'HIVERNAGE: Réside en permanence dans l'aire de nidification; à l'ouest jusqu'au Mexique.

HABITAT PRÉFÉRÉ: Forêts de conifères.

LIEU DE NIDIFICATION PRÉFÉRÉ: Conifères.

GROSSEUR DE LA COUVÉE: De 3 à 5 oeufs, habituellement 4.

PÉRIODE D'INCUBATION: De 12 à 14 jours.

PÉRIODE AU NID: De 15 à 17 jours.

COUVÉE PAR SAISON: 1.

NOURRITURE PRÉFÉRÉE: Graines, surtout de conifères; bourgeons; fruits sauvages.

Bibliographie

Dion, André, *Les Jardins d'oiseaux*, Boucherville, Brimar et Québec Agenda, 1988, 191 pages.

Godfrey, W. Earl, *Les Oiseaux du Canada*, Ottawa, Musées nationaux du Canada, 1986, 650 pages.

Huot, Guy, *L'Observation des oiseaux*, Montréal, Éditions Marcel Broquet, 1988, 214 pages.

Lane, Peter, *L'Alimentation des oiseaux*, Montréal, Éditions Marcel Broquet.

Mahnken, Jan, *Comment nourrir et attirer les oiseaux*, Montréal, Éditions Quebecor, 1988, 192 pages.

National Geographic Society, *Guide d'identification des oiseaux de l'Amérique du Nord*, Montréal, Éditions Marcel Broquet, 1987, 472 pages.

Peterson, R. T., *Guide des oiseaux de l'Amérique du Nord à l'est des Rocheuses*, Montréal, Éditions France-Amérique, 1984, 384 pages.

Proctor, Docteur Noble, *Répertoire des oiseaux de jardin du Québec et de l'Amérique du Nord*, Montréal, Éditions Quebecor, 1988, 160 pages.

Simonds, Calvin, *Comportement des oiseaux de jardin*, Montréal, Éditions Quebecor, 1988, 199 pages.

Stokes, Donald W., *Nos oiseaux. Tous les secrets de leurs comportements*, 2 tomes, Montréal, Éditions de l'Homme, 1989.

Index

NOTE: Les chiffres en caractères gras indiquent les pages où une description de l'oiseau apparaît. Les chiffres en italique indiquent une illustration ou une photo.

IMPRIMERIE L'ÉCLAIREUR
Une division de Groupe d'Imprimeries Quebecor inc
17625